Anna

COLLECTION
FOLIO/ESSAIS

Platon

Le Banquet

ou

De l'amour

Traduit du grec
par Léon Robin
et M.J. Moreau
Préface
de François Châtelet

Gallimard

Dans la même collection

PRÉFACE

Plus importante que les discussions portant sur la date de composition du Banquet *– aux environs de 385 avant notre ère ? – ou sur la réalité de la rencontre entre ces redoutables buveurs, est la question qui concerne la place de ce dialogue, joyeux et, entre tous, célèbre, à l'intérieur de l'ensemble du texte platonicien. Ce problème vaut d'être soulevé : la doctrine platonicienne, qui constitue l'expression première de la culture philosophique, au sens strict du terme, s'exprime dans des dialogues pédagogiques, très rigoureux et très tendus – comme, par exemple,* La République *– où Socrate, porte-parole de Platon, expose la théorie des Idées et la logique qui y correspond. Rien de tel ici : une présentation singulièrement confuse, une circonstance exceptionnelle et, en apparence, peu susceptible de favoriser la diffusion d'un message intellectuel – une beuverie systématique –, des événements qui, en apparence encore,* viennent rompre la continuité du récit : la mauvaise humeur de celui-là, le hoquet de celui-ci, l'arrivée inattendue d'autres convives plus ivres encore...

Dans tout cela, rien de philosophiquement sérieux, semble-t-il. Sans doute y a-t-il des discoureurs qui se piquent de langage réfléchi et de formules élaborées ; sans doute y a-t-il Socrate qui, dans son intervention, réfute, raisonne et démontre. Les premiers manifestent bien vite le ridicule de leur projet ; le second s'abrite, dès le début, derrière une autorité qui n'a rien de philosophique, une prêtresse inspirée, dont il prétend ne rapporter que les propos. Etrange dialogue, par conséquent, que ce Banquet ! L'affectivité, les jeux de la parole, le désordre des conversations y jouent un rôle déterminant. On le rapproche souvent – et, à bien des égards, à juste titre – du Phédon[1], qui raconte les circonstances de l'exécution de Socrate. Mais, dans le Phédon, il s'agit d'une réalité historique : la mort acceptée par « le plus juste des Grecs » ; on y argumente toujours dans le même sens ; l'ironie consolatrice de Socrate se développe sur le fond d'une passion triste : la peur de la mort. Ici, du début à la fin, on ne cesse de jouer d'une passion

1. Cf. *Apologie de Socrate, Criton, Phédon*, Gallimard, collection « Idées », 1968.

tout aussi grave, mais, quoi qu'on veuille et quelque lourdeur que cherche à y mettre Socrate, extrêmement gaie : le désir d'amour.

En vérité, le platonisme – dont de multiples réductions, venues ultérieurement, ont fait l'expression de l'idéalisme et de la rationalité – est le lieu des énigmes qui prouvent la force et la faiblesse du style philosophique comme tel. C'est le privilège du Banquet *de l'établir clairement et il est bon que Rabelais l'ait utilisé dans la* Préface de Gargantua *(cf. ci-dessous, note 124). Comment le discours platonicien s'organise-t-il (qu'on veuille bien accepter ici une extrême schématisation) ? Les premiers dialogues – ceux qu'on a coutume d'appeler « socratiques », dont la rédaction et la diffusion précèdent la fondation de l'Académie, en 387 – sont de vrais dialogues : Platon, dans des textes courts, portant sur des thèmes politico-culturels : qu'est-ce qu'être pieux ? qu'est-ce que se conduire comme un bon citoyen ? montre qu'aucune des idéologies, des opinions couramment reçues, qu'elle prétende se référer à la tradition ou s'installer dans la nouveauté, n'est capable de* répondre *correctement ; que chacune d'entre elles se contredit, s'empêtre dans des différences mal analysées et aboutit à des résultats pratiquement désastreux.*

Les dialogues de la maturité, eux, sont plus largement développés : au début, l'objet est d'ordre empirique ; très rapidement, cependant, il prend une portée universelle. Ainsi, dans La République, *la question : qu'est-ce qu'être un bon citoyen ? devient : qu'est-ce que la justice ? qu'est-ce que la bonne constitution politique ? qu'est-ce que l'Etat rationnel ? Qu'est-ce que la connaissance légitime ? qu'est-ce que l'Etre ? De ce fait, la nature du discours se transforme : des participants au dialogue, un seul a finalement la parole péremptoire, le maître Socrate, qui apprend aux autres à poser les bonnes questions et énonce les réponses qui conviennent. Déjà, on s'achemine vers le* cours de philosophie, *vers l'exposé doctrinal, vers la métaphysique.*

Les dialogues qualifiés de « socratiques » n'ont de conclusion que négative : ils sont réfutatifs ; les dialogues proprement platoniciens, hormis des lacunes (volontaires ? qu'importe, mais il faut s'en féliciter aujourd'hui), sont démonstratifs et construisent, bientôt, un dogme. Il y a, cependant, dans le texte platonicien, un entre-deux. Celui-ci est double : polémique et poétique. Au premier volet du diptyque appartient le Gorgias, *dialogue dans lequel Platon règle ses comptes avec ceux-là qui lui volent sa place : ces intellectuels patentés, les Sophistes, qui prétendent apprendre à tout un chacun, à grands frais, mais avec peu d'efforts, à passer pour le citoyen le plus qualifié. Dans le second, s'inscrit* Le Banquet *(à côté du* Phèdre, *du* Phédon, *et de ces dialogues « historiques » que sont l'*Apologie de Socrate *et le* Criton*).*

Ainsi, dans Le Banquet, *il y a une leçon ; mais celle-ci n'est pas administrée par voie déductive ; il y a une référence à la réalité empirique, celle de l'Amour, et jamais la discussion ne va au-delà de cette référence ; cependant, le récit prend, dès que Socrate intervient, une signification universelle ; il y a démonstration d'ensemble, contournée, détournée et qui ne prend sa pleine ampleur que lorsque l'événement décisif intervient, le « coup de théâtre », l'arrivée d'Alcibiade. La quotidienneté – ce soir, c'est celle du vin (comme, au matin, ce sera celle du gymnase) – implique déjà, jusque dans les hoquets d'Aristophane, la force dangereuse du concept.*

*

Il faut voir plus précisément le dialogue – qu'on doit prendre, ainsi que tous les textes platoniciens *(y compris ceux qui se présentent comme les plus dogmatiques), comme des « relations », et qu'il faut lire tantôt avec une attention méticuleuse, tantôt avec une distraction légitime, selon le désir qu'on en a. Quatre parties, d'inégale longueur : une présentation, d'abord – complexe et dont toute la signification est de mettre ce « banquet » à distance, de lui donner quelque chose comme la vertu symbolique : Apollodore raconte à des amis le récit que lui fit Aristodème, plus âgé que lui, d'une discussion mouvementée qui eut lieu naguère sur la nature de l'Amour. C'est au cours d'un banquet – d'une de ces réunions amicales où l'on mangeait peu, où on buvait beaucoup, où on écoutait des joueuses de flûte et de cithare, quelquefois, mais où surtout on discourait sur un thème choisi d'un commun accord, chacun des convives devant prendre la parole à son tour pour participer aux libations – que se déroula cet entretien mémorable. Etaient présents : deux poètes – dont Agathon, qui en donnant ce banquet fêtait la palme qu'il venait d'obtenir au concours de tragédie –, un rhéteur, un intellectuel, un médecin et Socrate : Alcibiade survint sur le tard.*

La deuxième partie, la plus longue (qui commence en 178 a*), relate les cinq interventions de ceux qui n'ont pas reçu l'enseignement de la droite philosophie, ou qui ne l'ont pas accepté. Dans son récit, Platon procède comme il le fait dans l'*Apologie de Socrate *et dans le* Gorgias. *Les personnages convoqués ont une existence historique : mais ils ont aussi une valeur symbolique. Dans l'*Apologie, *les trois témoignages rétrospectifs auxquels fait appel Socrate accusé sont ceux des politiciens, des* poètes et devins, et des hommes qualifiés « gens de métier » et spécialistes, qui, tous par ignorance, méprisent la philosophie. Dans le Gorgias, l'ennemi, c'est la sophistique : trois manifestations de cette attitude sont exposées et réfutées : celle du vieux Gorgias, qui se voudrait l'instituteur de la démocratie modérée, celle du jeune Pôlos, brise-tout, « anarchiste de droite » comme nous dirions aujourd'hui, celle du démoniaque Calliclès, qui allie à la ruse et à la culture de Gorgias la véhémence dévastatrice de Pôlos. Ici, l'éventail est plus large. Le lecteur – à moins qu'il ne se livre à des recherches érudites – aura intérêt à lire ces discours sans chercher à en découvrir toutes les finesses et toutes les implications et à analyser le style et la signification culturelle de chacun d'entre eux plutôt que le contenu détaillé des textes.

Il faut bien se rappeler qu'il s'agit là d'un dialogue construit par Platon, d'un écrit qui a une fonction idéologique. Il s'agit d'imposer la vérité de la philosophie contre les autres expressions intellectuelles : poésie, rhétorique, médecine... Ainsi, Le Banquet ridiculise, successivement et à des degrés divers, les cinq orateurs non-philosophes.

Phèdre définit, avec sérieux, ce qu'il croit être le lieu de l'entretien ; son discours est bien informé ; il disserte ; de toute évidence, et si l'on accepte provisoirement l'anachronisme, il est de ceux qui *ont eu le premier prix au concours général de philosophie et qui, grâce à une bourse « de la vocation », finissent comme président-directeur général d'une riche maison de publicité ; il a le mérite de s'intéresser aux problèmes « concrets ». Il est, pour reprendre l'expression de Hegel, un « animal de culture », une conscience qui est, naturellement, de et dans la culture, et qui se plaît à cette situation confortable.*

Phèdre a mis en évidence l'horizon. Pausanias s'attache à le fonder ou, au moins, à lui donner du poids. Lui, c'est le rhéteur. Il a été éduqué ; il possède les techniques de la parole ; il sait dominer ce sujet, comme n'importe quel autre ; il prouve, par son discours, qu'il est capable de se tirer des situations « théoriques » les plus embarrassantes ; qu'il n'est jamais à court d'arguments, de réfutations et de preuves.

Ici, l'intermède le plus significatif. Platon s'amuse. Toujours ironique, le voici qui frôle, en cet endroit, une autre pratique de langage : l'humour. Aristophane, le poète comique, qui, selon la place qu'il occupait parmi les convives, aurait dû intervenir alors, est saisi par un hoquet incoercible. Il ne peut pas parler. On sait que les comédies d'Aristophane furent pour beaucoup dans le discrédit qui atteignit Socrate et entraînèrent, lors d'une période sombre de la Cité athénienne, sa condamnation à mort. Platon veut-il signifier ici qu'il n'y a pas à en vouloir à ce misérable fabricant de comédies populaires, qu'il n'y a rien à en dire, sinon qu'il n'a jamais fait que hoqueter ?

Toujours est-il que s'impose le lourd Eryximaque. Léon Robin dit justement de lui qu'il est l'« ancêtre de Diafoirus ». Bien plus, il est le portrait-robot de tous ces « spécialistes » qui, parce qu'ils possèdent une compétence en un domaine limité – la guérison, la construction des bateaux ou des chaussures –, se jugent qualifiés pour résoudre tous les problèmes, celui de l'Amour comme celui de l'Etat.

Voici enfin les poètes, ennemis nommés de Platon. Aristophane est le premier. Il tient un discours si plaisant, si intelligent, que bien souvent, les commentateurs en viennent à l'intégrer à la doctrine platonicienne. Cette fois, que le lecteur soit attentif, voire méticuleux. Le mythe développé par Aristophane dans Le Banquet *est d'une audace et d'une puissance surprenantes. Il s'inscrit, poétiquement, dans l'antithèse même de la philosophie. Serait-ce que Platon ait voulu donner toute sa chance à l'antiphilosophie – comme il l'accorde à Calliclès, dans le* Gorgias *? Le second poète et le dernier non-philosophe à intervenir est Agathon. Rien qui ressemble à l'intervention d'Aristophane : y dominent la raideur et l'emphase. Ce discours est* *celui d'un mauvais poète et d'un médiocre rhéteur. Tout se passe comme si Platon – qui se contente de moquer la comédie – voulait, avec beaucoup de vigueur, dénoncer la tragédie comme la plus dangereuse des malfaçons. Car le tragique, c'est à la philosophie de s'en occuper...*

*La troisième partie du dialogue oppose à ces cinq développements ennuyeux, pédants, ridicules ou comiques, le sérieux et la profondeur de l'attitude philosophique (*199 b*). En fait, il faut bien du temps pour que Socrate consente à parler. Ce n'est qu'après avoir argumenté contre Agathon qu'il se résout à exposer sa conception. Et encore le fait-il indirectement : il rapporte le récit que lui fit une prêtresse de Mantinée, Diotime, et ce n'est qu'à partir de ce mythe qu'il construit la théorie philosophique de l'Amour qui, dans son essence, est amour du Beau et du Bien et désir d'immortalité...*

Ainsi, Le Banquet *se situe comme dialogue intermédiaire (entre les dialogues « socratiques » et les grands textes pédagogiques) non seulement dans sa forme, mais dans son contenu. De même que le* Phédon, *il indique qu'à côté de la formation proprement intellectuelle – dont* La République *analyse les étapes dans* La République, VII –, *il y a une initiation fondée sur des expériences privilégiées : le sentiment de la mort, le sentiment de l'amour. Ce que la philosophie montre, alors, c'est qu'il faut savoir interpréter ce donné affectif. Erôs, fils de Pauvreté et d'Expédient, est, de la sorte, comme la réplique sensible du désir de Sagesse-Savoir : il est philo-sophe.*

Cependant, la vérité du Banquet *n'apparaît qu'au cours du dernier épisode. Alcibiade et ses amis surgissent, avinés, venant d'un autre banquet ; ils demandent qu'on leur serve à boire. Cependant, ils doivent se soumettre à la règle : Alcibiade doit, lui aussi, prononcer un éloge de l'Amour. Il le fait, avec enthousiasme. Mais ce qu'il célèbre, ce n'est pas l'Erôs, c'est Socrate ! Il raconte comment il est tombé amoureux, lui, le beau et riche garçon, guerrier valeureux, stratège expérimenté, athlète plusieurs fois primé, orateur écouté du peuple, du va-nu-pieds philosophe ; comment celui-ci a reçu ses avances avec tendresse ; comment, finalement, il ne s'est rien passé entre eux, comme on dit, alors que l'occasion s'offrait ; et comment, du coup, Alcibiade a compris que l'amour du corps n'est rien, rien qu'un indice : l'indice d'un désir plus profond, celui d'une Beauté non-sensible, qui transporte l'Erôs au-delà de toutes les pratiques empiriques.*

Alcibiade, amoureux et bavard, s'envole sous la bannière de la « droite philosophie » ; il abandonne son désir ; il se félicite de sa renonciation... Platon n'a jamais mieux montré – il voulait qu'il en soit ainsi – que la parole philosophique achevée est par essence répressive quant au désir d'amour, qu'elle est castratrice ; qu'elle ne peut imposer sa puissance qu'en abolissant, par sa pédagogie, la libido...

Et cependant, quelle meilleure façon de nous donner à penser la Force du sexe que le mythe d'Aristophane et le récit de Diotime ! Quoi qu'on fasse, on ne réprime pas aisément la puissance de l'Erôs. De cette contradiction entre la puissance des désirs et les exigences d'une parole qui veut la cohérence, c'est-à-dire l'Etat, le texte du Banquet *est le dépositaire. Nous n'avons pas fait mieux, y compris Freud, en cette affaire.*

François Châtelet,
octobre 1972

LE BANQUET
ou
DE L'AMOUR

APOLLODORE. UN DE SES AMIS

INTRODUCTION
au dialogue raconté

172 *(a)* APOLLODORE : Sur ce que vous avez envie de savoir, la préparation, j'ai idée, ne me fait pas défaut. Effectivement, il y a peu de jours, je me trouvais monter vers la ville, venant de Phalère[1] où j'habite. Or, voilà que quelqu'un de ma connaissance, m'ayant reconnu par derrière, se mit à m'appeler de loin, assaisonnant de malice son appel : « Hé ! là-bas, l'homme de Phalère ! ne m'attendras-tu pas ? » Et moi, de m'arrêter pour l'attendre. « Apollodore ! me dit-il, sache-le ! à l'instant même je te cherchais, en vérité ! Je voulais me bien renseigner, concernant *(b)* la réunion d'Agathon, de Socrate, d'Alcibiade, et de ceux qui en plus d'eux furent au souper leurs compagnons, sur les Discours d'Amour qu'on y prononça. Il y a bien quelqu'un qui m'en a, par ailleurs, fait un récit, qu'il tenait de Phénix, le fils de Philippe, et il assurait que, toi aussi, tu en avais connaissance. Malheureusement, il n'était pas à même de rien dire de certain ! Fais-moi donc ce récit, car nul n'est mieux justifié que toi à relater les propos de ton ami ! Mais commence par me dire, ajouta-t-il, si tu étais, ou non, présent en personne à cette réunion... *(c)* – Il m'a tout à fait l'air, répondis-je, de ne t'avoir rien raconté de certain, celui qui t'a fait ce récit ! puisque tu estimes l'époque de cette réunion sur laquelle tu m'interroges, assez récente pour que j'y aie moi-même assisté. – C'est justement ce que je croyais moi-même. – Où vas-tu chercher cela, Glaucon ? Ignores-tu que voilà beaucoup d'années que je ne réside plus ici[2], et que, depuis que moi je passe tout mon temps dans la compagnie de Socrate, ayant pris à cœur de savoir chaque jour ce qu'il a bien pu dire ou faire, il n'y a

173 pas encore trois ans ? Auparavant, *(a)* je courais de droite et de gauche, à l'aventure, m'imaginant faire quelque chose d'important ; plus misérable en réalité que quiconque, pas moins que toi à présent, que toi qui imagines, dans toute activité, une plus impérieuse obligation qu'à l'égard de la philosophie ! – Ne te moque pas ! répliqua-t-il, dis-moi plutôt quand eut lieu cette réunion. – Quand nous étions encore des enfants, lui dis-je, quand, avec sa première tragédie, Agathon remporta la victoire[3], et le lendemain du jour où il fit son sacrifice de victoire en compagnie de ses choreutes[4]. – Alors, dit-il, il y a, à ce qu'il paraît, fort longtemps ! Mais, qui t'en a fait le récit ? est-ce Socrate lui-même ? – Non, par Zeus ! répartis-je, *(b)* mais celui précisément qui le fit à Phénix : un certain Aristodème, de Kydathènéon, un petit homme, toujours nu-pieds[5]. Or il était présent à la réunion, fervent de Socrate comme il l'était, entre tous ceux, si je m'en crois, qui l'étaient le plus parmi les fidèles de l'époque ! Ce n'est pas, à la vérité, que je n'aie, par la suite, posé à Socrate quelques questions sur ce que j'avais appris de l'autre, et il me confirmait l'exactitude du récit de celui-ci. – Mais quoi ? dit-il ; ne me feras-tu pas ce récit ? Après tout, la route qui mène à la ville est propice à des promeneurs, aussi bien pour parler que pour écouter ! »

« Voilà comment, tout en marchant, *(c)* nous nous entretenions de ces choses, et ainsi, ce que justement je vous disais en commençant, ce n'est pas la préparation qui me manque ! En conséquence, si je vous dois, à vous aussi, faire ce récit, alors ne tardons pas ! Et d'ailleurs, en ce qui me regarde, c'est un fait que parler moi-même de philosophie, ou en entendre parler par d'autres, est pour moi indépendamment de l'utilité que cela présente à mon sens, une jouissance surnaturelle ! Entendre au contraire d'autres propos, les vôtres particulièrement, ceux des riches et des hommes d'affaires, à moi, cela me pèse ! et vous, mes amis, je vous prends en pitié de vous imaginer *(d)* que vous faites quelque chose d'important alors que vous ne faites rien du tout ! En revanche, c'est moi que probablement vous tenez pour infortuné, et je crois que vous êtes dans le vrai en le croyant[6] ! Ce qui est sûr, c'est que de vous, moi, je ne le crois pas : je le sais, et parfaitement ! – L'Ami : Tu es toujours le même, Apollodore !

Toujours en effet tu dis du mal de toi-même aussi bien que des autres, et mon impression est que, à commencer par toi, tous les hommes, bel et bien, sont misérables, tous excepté Socrate ! Où as-tu bien pu aller chercher ce surnom de *tendre*[7], dont on t'appelle ? Quant à moi, je n'en sais rien ; car, dans tes propos, tu es toujours tel qu'à présent, avec ta véhémence sauvage envers toi-même comme envers les autres, Socrate excepté ! – APOLL. : Ainsi, mon très cher, *(e)* parce que je pense ainsi, à mon sujet comme à propos de vous, je suis évidemment un fou furieux ? un homme qui déraisonne ? – L'AMI : Là-dessus, Apollodore, il ne vaut pas la peine de nous disputer aujourd'hui ! Mais, sur ce que précisément nous t'avons demandé, ne va pas nous contrarier ! Raconte-nous plutôt quels furent les discours qu'on prononça. – APOLL. : Eh bien ! voici à peu près quels ils furent... Mais il est

174 préférable que je vous prenne *(a)* du commencement le récit d'Aristodème et que je m'efforce d'en être, à mon tour, le narrateur[8] !

« Il avait, me dit-il, rencontré Socrate, bien lavé, des sandales aux pieds, choses qui chez lui n'arrivaient que rarement, et il lui avait demandé où il allait, pour s'être ainsi fait beau : « Au souper chez Agathon ! avait-il répondu. Hier en effet, à l'occasion de sa fête de victoire, je me suis dérobé à être près de lui, par crainte de la foule ; mais, pour aujourd'hui, je lui ai promis d'être là. Voilà pourquoi je me suis donné quelque embellissement, afin d'être beau puisque c'est chez un beau garçon que je vais ! Mais toi, ajouta-t-il, *(b)* est-ce que cela te chante d'accepter, sans être invité, de venir à ce souper ? – Je ferai comme tu voudras ! répondis-je[9]. – Eh bien ! dans ce cas, suis-moi, dit-il : que nous mettions à mal, en le transformant, le proverbe suivant lequel *aux festins des gens de bien vont d'eux-mêmes les gens de bien*[10]. De fait, il y a chance que ce proverbe, Homère ne l'ait pas seulement mis à mal, mais qu'il ait, envers lui, usé de brutale violence. *(c)* Car il a peint

Agamemnon comme un homme exceptionnellement brave à la guerre, Ménélas au contraire comme un *homme mou dans le combat* ; après quoi, le jour où Agamemnon, faisant un sacrifice, donne à manger, il a fait venir au festin, *sans qu'on l'y ait invité,* Ménélas, le moins bon donc à la table du meilleur[11]. – Il est probable pourtant, répliquai-je à ces mots, que le risque couru aussi par moi ne sera pas, Socrate, celui que tu dis, mais, comme il arrive chez Homère, celui de me rendre, moi homme de rien, au festin d'un homme de cette distinction, sans y avoir été invité ! Vois donc, toi qui m'y conduis, ce que tu diras pour ta décharge ; *(d)* attendu que moi, je ne conviendrai pas d'être venu sans avoir été invité, mais bien, invité par toi ! – *Quand on marche à deux,* repartit-il, alors, *l'un suppléant l'autre,* nous délibérerons de ce que nous devrons dire. En attendant, avançons ! »

« Après avoir, me disait Aristodème, échangé divers propos de ce genre, ils se mirent en route. Or, chemin faisant, Socrate, l'esprit appliqué à des pensées intérieures, marchait en se laissant distancer, et, comme Aristodème l'attendait, il l'invita à ne pas rester là et à avancer. Quand l'autre fut rendu à la demeure d'Agathon, *(e)* il en trouva la porte grande ouverte, et, là, il lui arriva, me disait-il, quelque chose de risible. Voici en effet que, tout aussitôt, du dedans de la maison vient au-devant de lui un serviteur, qui le mène où étaient étendus les autres convives[12], qu'il trouve déjà sur le point de souper. Or, à peine Agathon l'eut-il aperçu : « Aristodème, s'écria-t-il, sois le bienvenu pour partager notre souper ! Si tu es venu avec une autre intention, remets la chose à plus tard, d'autant que, te cherchant hier pour t'inviter, je n'avais pas réussi à t'apercevoir ! Mais Socrate, comment se fait-il que tu ne nous l'amènes pas ? » M'étant alors retourné, continuait Aristodème, je ne vois nulle part de Socrate derrière moi ! « Mais, dit-il, c'est pourtant bien avec Socrate que je suis venu ! invité par lui-même à souper ici ! – Et c'est, ma *175* foi ! parfait de sa part ! dit Agathon. *(a)* Mais où est le gaillard ? – Tout à l'heure il avançait par derrière moi. Eh bien ! moi aussi, j'en suis ébahi et me demande où il peut bien être ! – Allons, petit, cria Agathon, ne vas-tu pas te mettre en quête de Socrate et nous l'amener ici ? Quant à toi, Aristodème, ajouta-t-il, installe-toi sur ce lit, auprès d'Eryximaque[13]. » Le serviteur était donc en train de lui faire laver les mains, pour lui permettre d'aller s'étendre, quand un autre des domestiques vint annoncer : « Votre Socrate, sa retraite est le porche des voisins, où il est en plan, et j'ai beau l'appeler, il ne se décide pas à entrer ici ! – Cela n'a pas de sens commun, ce que tu me chantes là ! s'écria Agathon. Ne vas-tu donc pas l'appeler encore, et ne pas le lâcher ! *(b)* – N'en faites rien ! intervint alors Aristodème. Laissez-lui plutôt la paix, car c'est son habitude de parfois s'écarter ainsi et de rester en plan là où d'aventure il se trouve ! Mais tout à l'heure il arrivera, si je ne me trompe. Gardez-vous donc de le déranger, mais laissez-le en paix ! – Soit ! dit Agathon. Si tel est ton avis, c'est là ce qu'il faut faire !... Sur ce, les gars ! faites-nous manger, nous autres ! Vous servez[14] absolument ce qu'il vous plaît, quand on ne vous surveille pas : un soin que, moi, je n'ai jamais pris ! Eh bien donc ! aujourd'hui, imaginez-vous *(c)* qu'à ce souper nous sommes vos invités, moi et les autres convives ici présents, et traitez-nous de façon à obtenir nos éloges ! »

Socrate au souper d'Agathon.

« Après quoi, me contait Aristodème, on se mit en devoir de souper, sans que Socrate fût entré. Agathon commanda donc plusieurs fois qu'on le fît chercher, mais je ne le permis pas. Or, le voilà qui arrive, pas avec un retard aussi considérable qu'à son ordinaire, et pourtant à peu près à la moitié de notre souper ! Sur ce, Agathon (il était en effet justement l'unique occupant du dernier lit [15]) : « Ici, Socrate ! dit-il, *(d)* installe-toi près de moi, afin que, à ton contact, je me régale, moi aussi, de la trouvaille de sagesse [16] qui s'est offerte à toi sous le porche des voisins ! Car tu l'as faite, la chose est claire, cette trouvaille, et tu l'as avec toi ! Autrement tu n'aurais pas plus tôt quitté la place. – Quelle bonne affaire ce serait, Agathon, dit Socrate en s'asseyant, si la sagesse était chose de telle sorte que de celui de nous qui est plus plein elle coulât dans celui qui est plus vide, à condition que nous soyons en contact l'un avec l'autre : comme l'eau que contiennent les coupes coule, par le moyen du brin de laine, de celle qui est plus pleine dans celle qui est plus vide ! *(e)* Si en effet il en est ainsi de la sagesse, je mets à très haut prix, en ce qui me concerne, l'honneur d'être assis sur ce lit à ton côté ; car, venant de toi, beaucoup de belle sagesse viendra, je crois, m'emplir ! La mienne en effet est une sagesse de rien du tout, ou, bien plus, une sagesse de qualité contestable, une manière de rêve ; tandis que la tienne est aussi brillante que riche de progrès : elle qu'en vérité tu fis briller avec tant d'éclat dès ta jeunesse, et qui, avant-hier, s'est manifestée aux yeux de plus de trente mille d'entre les Grecs [17] ! – Quel insolent tu fais, Socrate ! dit Agathon. Voilà un procès, concernant la sagesse, qu'un peu plus tard nous plaiderons, toi et moi ; et c'est Dionysos qui nous servira de juge [18] ! Mais, à présent, occupe-toi de souper ! »

La règle du banquet.

176 *(a)* « Aristodème me disait qu'après cela, une fois Socrate étendu sur le lit et prenant part, avec les autres convives, au souper, on fit les libations, on entonna les chants en l'honneur du Dieu, on s'acquitta des autres pratiques consacrées ; sur quoi on se préoccupa de boire. Or ce fut Pausanias[19] qui fut le premier à parler, et à peu près en ces termes : « Eh bien ! quelle sera pour nous, messeigneurs, la façon la plus commode de boire ? Quant à moi, je vous l'avoue, je me trouve tout à fait incommodé, réellement, de la beuverie d'hier, et j'ai besoin de reprendre un peu haleine ; ce qui, je pense, est aussi le cas de la plupart d'entre vous, *(b)* puisque, hier, vous étiez là ! Examinez donc de quelle façon nous pourrions boire le plus commodément ! – Voilà qui est assurément fort bien parler, Pausanias ! dit alors Aristophane[20] : de n'importe quelle manière, se ménager avec la boisson un accommodement... Car je suis, moi aussi, de ceux qui hier ont fait le plongeon ! – Certes, vous parlez d'or ! intervint, en les entendant, Eryximaque, le fils d'Acoumène. Et il y en a un encore, parmi vous, que j'ai besoin d'entendre : Agathon, qu'en est-il pour toi en matière de force à boire ? – Je ne suis de force, moi non plus, en aucune façon ! répondit-il. *(c)* – Quelle aubaine, repartit Eryximaque, ce serait pour nous, semble-t-il bien, pour moi comme pour Aristodème, pour Phèdre, pour tous ceux-ci, que vous, qui avez pour boire le plus de capacités, vous ayez renoncé ! Nous autres, en effet, à cet égard nous sommes en tout temps des incapables ! Quant à Socrate, je n'ai pas à en parler, puisque, dans un sens comme dans l'autre, il est si bien à la hauteur des circonstances que, quel que soit le parti que nous prenions, il s'en arrangera ! En somme, du moment que, parmi ceux qui sont ici, aucun ne me semble avoir beaucoup d'empressement pour boire du vin en quantité, probablement vous serais-je moins importun, si je vous disais ce qui en est véritablement de l'acte de s'enivrer : pour moi en effet, voilà justement au moins une vérité *(d)* dont l'évidence est résultée de la pratique de la médecine, c'est que l'ivresse est funeste aux hommes ; aussi, ni ne consentirais-je, pour mon compte personnel, à boire de mon plein gré outre mesure, ni ne le conseillerais-je à un autre, principalement quand de la veille il a la tête encore lourde ! – Quant à moi, interrompit Phèdre de Myrrhinonte[21], c'est assurément mon habitude de t'obéir, surtout quand les choses que tu dis ont rapport à la médecine ; mais c'est ce qu'aujourd'hui, s'ils y réfléchissent bien, feront aussi les autres ! » *(e)* En entendant ces paroles, ils convinrent tous de ne pas consacrer leur présente réunion à s'enivrer, mais de ne boire que juste pour l'agrément.

Son programme.

« Alors, puisque, dit Eryximaque, il est entendu de ne boire qu'autant qu'il plaira à chacun, mais sans rien d'imposé, j'introduis une motion additionnelle : c'est de donner congé à la joueuse de flûte, qui tout à l'heure est entrée ici, et de l'envoyer jouer de la flûte pour elle-même, ou, si elle veut, pour les femmes de la maison ; puis, nous autres, d'employer à discourir le temps de notre réunion de ce jour. A discourir sur

177 quel sujet ? *(a)* Là-dessus, s'il vous plaît, volontiers, j'introduis une autre motion. » Tous déclarent donc que cela leur plaît, et l'invitent à faire sa motion : « J'emprunte, dit alors Eryximaque, le début de mon exposé à la *Mélanippe* d'Euripide[22] : *Non, ce n'est pas de moi que sont ces paroles,* mais effectivement de Phèdre ici présent, ces paroles que je vais prononcer. A chaque occasion, voici en effet ce qu'avec indignation me dit Phèdre : *« Eryximaque,* me dit-il, *n'est-ce pas un scandale que tels ou tels d'entre les Dieux aient inspiré aux poètes la composition d'hymnes et de péans*[23], *tandis que pour l'Amour, qui est un dieu si ancien, si important,* (b) *il ne s'est jamais trouvé un seul poète, entre ceux qui se sont fait une place importante, pour composer aucun hommage à sa gloire*[24]. *Et si, d'un autre côté, tu veux bien envisager à leur tour les Sophistes qui comptent, ils écrivent dans la langue de la prose des éloges, d'Héraclès entre autres, ainsi que l'a fait l'éminent Prodicos*[25]. *Et ceci, encore, n'est pas trop extraordinaire ! Mais, bien mieux, je suis tombé, pour ma part, sur un livre d'un savant homme, où se trouvait contenu un étonnant éloge du sel par rapport à son utilité*[26] *! Et il ne manque pas, sous nos yeux, de choses analogues* (c) *dont on a célébré la gloire ! Ainsi donc, avoir sur de tels sujets dépensé tant de peine, et que nul homme, jusqu'à ce jour, n'ait eu le cœur de chanter l'Amour en un hymne digne de lui ! Voilà pourtant à quel point a été négligé un si grand Dieu !* »

« De parler ainsi, Phèdre, à mon sens, a parfaitement raison : j'ai donc à la fois envie de lui offrir, moi, une contribution gracieuse, et, à la fois, vous autres, ici présents, il vous sied, c'est mon avis, dans la présente occasion, de célébrer la Divinité : *(d)* si donc vous en êtes, vous aussi, partisans, nous aurions, je pense, suffisamment de quoi employer en discours notre temps ; car il faut, telle est en effet ma motion, que chacun de nous prononce un éloge de l'Amour ; en allant vers la droite ; le plus bel éloge qu'il pourra ; et en commençant par Phèdre, puisqu'aussi bien il est à la première place et que, en même temps, il a la paternité du sujet. – Personne, Eryximaque, dit alors Socrate, ne votera contre ta motion : elle ne serait contredite, ni sans doute par moi, qui déclare ne rien savoir d'autre que les choses de l'Amour ; *(e)* ni, je pense, par Agathon et Pausanias ; pas davantage assurément par Aristophane, dont tout le temps se passe à cultiver Dionysos et Aphrodite[27] ; ni non plus par aucun de ceux que je vois ici ! A vrai dire, la partie ne sera pas égale pour nous qui occupons les dernières places ! Mais, si ceux qui auront parlé avant nous ont parlé en suffisance et de la belle façon, ce sera tant mieux pour nous ! Sur ce, bonne chance à Phèdre pour être le premier à célébrer la gloire de l'Amour ! » Ces paroles recueillirent, paraît-il, l'assentiment de tout le monde et ils exhortèrent Phèdre,

178 exactement comme l'avait fait Socrate. *(a)* Aussi bien, ni tout ce qui fut dit par chacun n'était resté complètement dans le souvenir d'Aristodème ; ni, à mon tour, je ne me rappelle, moi, tout ce qu'il me disait ; mais c'est le plus important et ce qui, à mon avis, méritait qu'on en gardât le souvenir, sur quoi je vous rapporterai le discours de chacun.

I. PREMIÈRE PARTIE

1. Discours de Phèdre.

« Voici le premier en effet, celui que, comme je vous le dis, prononça Phèdre, qui commença de parler à peu près en ces termes[28] : « Amour est, chez les hommes comme chez les Dieux, une grande et merveilleuse divinité : à plus d'un titre sans doute, mais surtout sous le rapport de son origine. De fait, c'est un honneur d'être de beaucoup, entre les Dieux, le plus ancien. *(b)* On en a cet indice : Amour est sans parents !

Aucun prosateur, ni aucun poète ne lui en attribue. Au contraire, d'après Hésiode[29], la première naissance a été celle de Chaos; *puis Terre aux larges flancs, assise sûre à jamais offerte à tous les vivants, et Amour...* Il dit donc que, après Chaos, ce sont ces deux-là qui sont nés: Terre, Amour. Parménide[30], de son côté, parle en ces termes de son origine: *Amour est le premier Dieu auquel ait pensé la Déesse.* Acousilaos[31], enfin, est d'accord avec Hésiode. *(c)* Ainsi, de plusieurs sources, il y a concordance pour faire d'Amour le Dieu de beaucoup le plus ancien.

« D'autre part, il est, lui le plus ancien, la cause pour nous des biens les plus grands. Je suis en effet, quant à moi, incapable de nommer un seul bien qui surpasse celui d'avoir, dès la jeunesse, un amant de mérite, ou, pour un amant, d'avoir un bien-aimé qui mérite son amour[32]. Car, ce qui doit être pour l'homme un principe directeur de la vie entière quand il veut vivre une belle vie, rien n'est capable de le faire naître en nous, ni les relations de famille, ni les honneurs, ni la richesse, *(d)* ni rien d'autre, non, rien d'aussi belle façon que l'amour. Je poursuis: ce principe, quel est-il? C'est qu'aux vilaines actions aille la honte et qu'à en faire de belles on mette son point d'honneur ; car, sans ce double sentiment, il n'est possible, ni à un Etat, ni à un particulier, d'être ouvriers d'aucune grande et belle œuvre. Cela étant, je dis de tout homme qui aime que, s'il est surpris en train de commettre une vilenie, ou d'en subir une de la part d'autrui faute d'avoir le courage de s'en défendre, ce ne sera pas d'avoir été vu, ni éventuellement par son père, ni par ses camarades, ni par personne d'autre, qui lui causera une souffrance *(e)* pareille à celle de l'avoir été par ses amours ! Et c'est la même chose encore que nous constatons pour l'aimé : devant son amant il aura honte, comme devant personne, toutes les fois qu'il aura été vu par celui-ci en train de commettre quelque vilaine action. Si donc il existait quelque moyen de constituer un Etat ou une armée[33] avec des amants et leurs aimés, il serait impossible à des hommes de se mieux organiser eux-mêmes en un tel Etat que si, les uns vis-à-vis des autres, ils s'abstenaient de toute vilaine action et y mettaient leur *179* point d'honneur ; impossible, *(a)* combattant en compagnie les uns des autres, de ne pas, si peu nombreux fussent-ils, mais animés de tels sentiments, être vainqueurs de l'humanité entière ! C'est que, pour un amant, être vu par son bien-aimé, en train, soit de quitter le rang, soit de jeter ses armes, serait à coup sûr plus difficile à accepter que si tous les autres en étaient les témoins, et, plutôt que cela, il préférerait cent fois mourir ! Quant à abandonner sur le champ de bataille son bien-aimé, à ne pas lui porter secours quand il est en péril, il n'y a pas d'homme assez lâche pour ne pas être, sous l'influence d'Amour lui-même, divinement possédé d'une poussée de vaillance, au point d'être ainsi pareil à celui qui est naturellement le plus brave. *(b)* Bref, ce qu'a dit Homère de *la fougue qu'insuffle* à quelques-uns des héros la Divinité[34], voilà ce qu'aux amants procure Amour et dont il est le principe.

« Cela n'est pas douteux, mourir pour autrui, c'est à quoi, seuls, consentent ceux qui aiment, et non pas seulement des hommes, mais aussi les femmes. Or c'est même de quoi la fille de Pélias, Alceste, fournit un témoignage, capable de justifier, face aux Grecs, le langage que je tiens : elle, qui fut seule à accepter de mourir à la place de son époux, *(c)* alors que celui-ci avait encore son père et sa mère ; bien au-dessus desquels la tendresse de cette femme l'éleva assez haut, par la grâce d'Amour, pour les faire apparaître, eux, étrangers réellement à leur fils et n'ayant avec lui qu'un lien tout nominal[35], voilà quel fut son acte, et l'acte qu'elle avait accompli fut jugé, non pas par les hommes seulement, mais par les Dieux aussi, tellement beau que, parmi ce grand nombre de personnages qui ont accompli nombre de belles actions, bien faciles à compter sont ceux auxquels les Dieux ont accordé le privilège de faire revenir et remonter leur âme de chez Hadès ; *(d)* tandis qu'ils ont, remplis d'admiration par l'acte de cette femme, fait au contraire remonter son âme : preuve que les Dieux honorent au plus haut point le dévouement et la vertu qui ont Amour pour mobile ! Au contraire, Orphée fils d'Œagre, ils l'ont renvoyé de chez Hadès sans qu'il eût réussi à rien obtenir d'eux, sinon de voir le fantôme de cette épouse pour laquelle il y était venu, mais non pas celle-ci en personne ; parce que, à leur jugement, il avait agi par mollesse, comme il est naturel à un joueur de cithare, et que, au lieu d'avoir eu, comme Alceste, le courage de mourir par amour, il avait usé d'artifice pour pénétrer vivant chez Hadès ! Aussi bien est-ce pour cela qu'ils lui ont infligé une peine *(e)* et qu'ils lui ont réservé de mourir de la main des femmes[36] ; tandis qu'au contraire ils ont fait honneur à Achille, le fils de Thétis, et ils l'ont envoyé aux Iles des Bienheureux[37], parce que, instruit par sa mère que, s'il tuait Hector, il périrait lui-même, que, s'il ne le tuait pas, il reviendrait chez lui et y terminerait sa vie dans la vieillesse, il eut le courage, en ne renonçant pas à venger Patrocle, son amant, de choisir, *180* non pas seulement de *(a)* mourir pour lui, mais de mourir en suite du trépas de celui-ci[38]. Voilà pour quelle raison les Dieux, comblés d'admiration pour son acte, ont eu pour lui des honneurs spéciaux, en raison du grand cas que, de la sorte, il avait fait de son amant. Or c'est, de la part d'Eschyle, un radotage, de prétendre que c'était Achille qui aimait Patrocle : Achille, plus beau non pas seulement que Patrocle, mais même, nous dit-on, que tous les héros sans exception, et encore imberbe, beaucoup plus jeune par conséquent, ainsi d'ailleurs que l'affirme Homère[39] ! La vérité est plutôt que, les Dieux honorant au plus haut point la vertu dont Amour est le mobile, *(b)* ils ressentent cependant plus d'émerveillement et d'admiration, ils gratifient davantage de leurs bienfaits quand c'est l'aimé qui chérit l'amant, que dans le cas où c'est l'amant qui chérit son favori : c'est que l'amant est chose plus divine que son favori, car il est possédé du Dieu ! C'est même pour ces raisons qu'ils ont fait à Achille plus d'honneur qu'à Alceste, en envoyant le premier aux Iles des Bienheureux.

« Ainsi, je prétends donc, quant à moi, qu'Amour est, des Dieux, le plus ancien, le plus vénérable, le plus puissant pour conduire les hommes à l'acquisition de la vertu et du bonheur, aussi bien pendant leur vie qu'après leur mort. »

(c) « Tel fut, à peu près, contait Aristodème, le discours prononcé par Phèdre. Après Phèdre, d'autres parlèrent dont il n'avait pas gardé un souvenir bien précis. Passant donc sous silence leurs discours, il me raconta celui de Pausanias, dont voici quelle fut, d'après lui, la teneur.

2. Discours de Pausanias.

« Je ne suis pas d'avis, Phèdre, qu'on nous ait proposé comme il convenait le sujet, en nous prescrivant, sans distinguer, de célébrer Amour. Rien de mieux, si en effet Amour était unique. Mais en réalité, c'est un fait qu'il n'est point unique. Or, du moment qu'il n'est point unique, *(d)* il est plus correct d'avoir déclaré au préalable de quelle sorte d'amour on doit faire l'éloge. Je m'efforcerai donc d'opérer ce redressement : d'abord, d'expliquer de quel Amour on doit faire l'éloge ; ensuite, de faire cet éloge d'une manière digne du Dieu.

Amour est double.

« Tout le monde sait bien qu'Amour est inséparable d'Aphrodite. Ceci posé, si Aphrodite était unique, unique aussi serait Amour. Mais, puisqu'il y a deux Aphrodites, forcément il y a aussi deux Amours. Or, comment nier ici l'existence de deux déesses ? L'une, sans doute la plus ancienne, qui n'a point de mère et est fille de Ciel, est celle que nous nommons Céleste[40]. *(e)* Mais il y en a une autre, moins ancienne, qui est fille de Zeus et de Diônê, celle-là même que nous appelons Populaire[41]. Il en est donc forcément ainsi pour Amour lui-même : à celui qui coopère avec la seconde Aphrodite, le nom de Populaire sera attribué à juste titre ; à l'autre, celui de Céleste. Or, si toute Divinité a droit à être louée, il faut en tout cas s'efforcer de dire quel est le lot de chacune des deux dont nous parlons ; de toute action, en effet, il en est comme je vais *181* dire : *(a)* objet d'action pris en lui-même, elle n'est ni belle, ni laide ; ainsi, ce qu'à présent nous faisons, boire, chanter, converser, aucune de ces actions, en elle-même, n'est une belle action, mais c'est de la façon, éventuellement, de la faire, que résulte pour elle un pareil caractère ; que en effet elle soit faite de façon belle et droite, cela lui confère de la beauté ; dans le cas contraire, de la laideur. Ainsi en est-il, dès lors, pour l'acte d'aimer ; et ce n'est pas Amour, universellement, qui est beau, qui mérite non plus qu'on en célèbre les louanges, mais c'est celui qui nous incite à aimer de la belle façon.

« Or, celui qui tient à Aphrodite la Populaire est lui-même véritablement populaire, *(b)* et ses réalisations ont lieu à l'aventure : c'est lui qu'aiment ceux d'entre les hommes qui n'ont point de valeur ; et les gens de cette espèce, en premier lieu, n'aiment pas moins les femmes que les jeunes garçons ; en second lieu, ils aiment le corps de ceux qu'ils aiment plus que leur âme ; enfin, autant qu'ils le peuvent, ils recherchent les garçons les moins intelligents, car leurs visées vont uniquement à l'accomplissement de l'acte, mais ils ne s'inquiètent pas que ce soit ou non de belle façon ; d'où il résulte pour eux qu'ils font la chose comme pour eux cela se trouve, bonne aussi bien, aussi bien le contraire. C'est qu'aussi, dans ces cas, Amour relève de celle des deux Déesses *(c)* qui, de beaucoup, est moins ancienne que l'autre et qui, dans son origine, participe de la femelle et du mâle. Au contraire, celui qui se rattache à Aphrodite la Céleste relève de celle qui, premièrement, ne participe pas de la femelle, mais du mâle seulement ; qui, secondement, est la plus vieille, dont la passion n'est point le lot ; d'où il résulte que ceux dont l'inspiration provient de cet Amour-là se tournent précisément vers le sexe mâle, chérissant le sexe qui naturellement est le plus vigoureux et a davantage d'intelligence. J'ajoute qu'on les reconnaîtrait, jusque dans cet amour même des jeunes garçons, ceux qui reçoivent, sans mélange, *(d)* leur élan de cet Amour-là : ils n'aiment en effet les jeunes garçons que lorsque ceux-ci ont déjà commencé d'avoir de l'intelligence, ce qui se produit au voisinage du temps où la barbe leur pousse ; preuve, si je ne me trompe, que, chez ceux qui ont attendu ce moment pour les aimer, il y a eu volonté de se préparer à passer ensemble leur existence entière, dans une complète communauté ; et non pas, après avoir dupé celui dont on a pris au piège la naïveté irraisonnée, de s'en aller, en se moquant de lui, courir à d'autres amours ! Il devrait même y avoir une loi interdisant d'aimer des enfants, *(e)* afin d'éviter que, en vue d'une issue incertaine, on ne se donnât en pure perte beaucoup de peine ; car, avec les enfants, incertain est le résultat qu'à son terme donnera, dans l'ordre du mal comme du bien, une prédisposition de leur âme ou de leur corps. Sans doute cette loi, les gens de bien se l'imposent d'eux-mêmes, volontairement, à eux-mêmes. Mais, à l'égard de ces amants de l'espèce « populaire », c'est sous la forme de la contrainte qu'il faut instituer ce genre de loi ; tout comme nous les contraignons, autant que nous le pouvons, *(a)* à s'abstenir de faire l'amour avec les femmes de condition libre. En fait, ce sont eux qui sont responsables de ce discrédit, qui va jusqu'à donner à certains l'audace de prétendre que céder aux vœux d'un amant est une vilaine chose ! Or, s'ils le prétendent, c'est que leurs regards se portent vers ces gens-là ; qu'ils ont sous les yeux leur manque de tact et leur iniquité. Et cependant, il n'y a absolument point d'acte, quel qu'il soit, qui, à condition au moins d'être accompli selon l'ordre et la règle, puisse comporter une réprobation légitime.

182

Sociologie.

« Il est naturel aussi que la coutume concernant l'amour soit, dans quelques Etats, facile à comprendre, y étant en effet déterminée d'une manière absolue ; tandis que, *(b)* chez nous, elle a de la diversité. D'une part, effectivement, dans l'Elide, à Lacédémone, chez les Béotiens, autrement dit là où les gens ne sont pas habiles à parler, c'est d'une manière absolue qu'a été instituée la règle, qu'il est bien de céder aux vœux d'un amant ; et il n'y aurait personne, ni un jeune, ni un ancien, pour prétendre que c'est mal ; leur but étant, je pense, de n'avoir point à se dépenser en discours, eux qui sont incapables de parler, pour essayer de convaincre les jeunes ! Dans l'Ionie, au contraire, et en nombre d'autres pays, tous soumis à la domination des Barbares, la règle est que c'est une vilaine chose. C'est que, chez les Barbares, l'existence d'un pouvoir tyrannique conduit, et à faire de cela une vilaine chose, *(c)* et au même titre en vérité que l'amour du savoir ou celui des exercices physiques ; car il n'y a pas, je pense, d'avantage pour les détenteurs du pouvoir à laisser naître, chez ceux qui sont soumis à ce pouvoir, de hautes pensées ; pas non plus de fortes amitiés ou liaisons : ce qui justement est un effet ordinaire de l'amour, plus que de tout le reste. Or, c'est ce qu'en fait ont eux-mêmes appris les tyrans de chez nous, puisque c'est l'amour d'Aristogiton et l'amitié affermie d'Harmodios qui ont brisé leur domination[42]. Ainsi donc, là où il a été institué que c'est une vilaine chose de céder aux vœux d'un amant, *(d)* il y a là une conséquence de la dépravation de ceux chez qui cela est institué : d'une part, de l'ambition avide des détenteurs du pouvoir ; de la lâcheté, d'autre part, de ceux qui sont soumis à ce pouvoir. Mais, où la règle a été posée d'une manière absolue qu'au contraire cela est bien, il y a là une conséquence de la paresse d'âme de ceux chez qui cela a été institué.

Considérations morales.

« Or, chez nous, la règle qui a été établie est beaucoup plus belle que les précédentes, et, c'est exactement ce que je disais, elle n'est pas facile à bien comprendre. Qu'on y réfléchisse en effet. Il est plus beau, dit-on, d'aimer ouvertement que d'aimer en cachette, et il l'est au plus haut point d'aimer les plus nobles et les meilleurs, même s'ils sont plus laids que d'autres ; à l'égard encore de celui qui aime, ce sont, de la part de tout le monde, d'inimaginables encouragements, qu'on ne s'expliquerait pas à l'égard de quelqu'un qui ferait une vilaine chose ; *(e)* a-t-il fait une conquête ? on juge que c'est pour lui une belle chose, mais une vilaine, s'il a manqué cette conquête ; relativement aussi aux conquêtes entreprises, notre usage a accordé à un amant qui se livre à des extravagances le droit d'en être loué, alors que, si on se les permettait dans la poursuite

183 de toute autre fin, *(a)* à l'exception de celle-là, et avec l'intention d'obtenir un résultat, on recueillerait, de la part de la philosophie, les pires reproches. Que, en effet, avec l'intention, soit de recevoir de quelqu'un de l'argent, soit d'être investi d'une magistrature ou d'une autre fonction, on consente à faire ce que précisément font les amants envers leurs amours : à accompagner sa requête de supplications et d'embrassements ; à jurer par serment ; à prendre pour couche le pas de la porte ; à accepter d'être esclave, d'un esclavage tel qu'il ne serait même pas acceptable pour un véritable esclave ; alors, dans l'acte envisagé, à l'encontre de pareils agissements on se heurterait à l'opposition, et de ses amis, *(b)* et de ses ennemis : ces derniers lui reprochant ses adulations et ses bassesses, les autres lui faisant à leur sujet des remontrances et en ressentant de la honte. Quand au contraire tout cela est fait par celui qui aime, on lui en sait gré, et de notre coutume il a reçu le privilège de pouvoir se conduire ainsi sans qu'on le lui reproche, comme s'il accomplissait quelque exploit magnifique ! Mais ce qu'il y a de plus extraordinaire, c'est en vérité ce que disent la plupart des gens : à savoir que, même quand il jure, il est le seul à qui les Dieux pardonnent de transgresser ses serments ; un serment d'amour, dit le proverbe, ce n'est point un serment ! *(c)* De la sorte, les Dieux, aussi bien que les hommes, ont réalisé pour celui qui aime une complète liberté : voilà ce que proclame la coutume de chez nous. Ainsi donc, ces considérations donneraient à penser que, dans cet Etat-ci, c'est une chose estimée magnifique, que d'être amant et d'avoir des complaisances pour celui qui vous aime.

« Mais, d'un autre côté, quand on voit des pédagogues préposés par les pères à empêcher les conversations entre aimés et amants et qu'on a assigné au pédagogue cette tâche définie ; quand, pour leur compte, des jeunes gens du même âge, des camarades, leur font aussi des reproches lorsqu'ils voient se produire quelque chose de ce genre ; *(d)* quand enfin les plus âgés[43] n'arrêtent pas ceux qui font ces reproches, ne les gourmandent pas non plus de ne pas tenir un juste langage ; quand, dis-je, c'est sur ces faits qu'on porte maintenant son regard, on pensera que, tout au rebours, la chose en question a chez nous la réputation d'être tout ce qu'il y a de plus vilain !

« Or voici, à mon avis, ce qui en est. Ainsi que je l'ai dit dès le commencement, la chose comporte des distinctions ; elle n'est en soi-même et par soi-même ni belle, ni laide. Mais elle est belle si c'est de la belle façon qu'on la fait, vilaine, au contraire, si c'est de la vilaine façon : et de la vilaine façon maintenant, c'est quand perversement on cède aux désirs d'un pervers ; de la belle, c'est quand on cède bellement et à un homme de mérite. Or, le pervers, *(e)* c'est cet amant dont j'ai parlé, le Populaire, celui qui est plus amoureux du corps que de l'âme ; il n'a pas en effet non plus de constance, en tant qu'il est amoureux d'une chose qui n'a pas davantage de constance : car, aussitôt que se fane la fleur du corps, cela même qu'il aimait, *à tire d'aile il s'en va*[44], sans respect pour ses nombreux discours et ses nombreuses promesses. Mais celui qui est amoureux du moral, parce que ce moral est bon, celui-là a de la constance d'un bout à l'autre de sa vie, en tant qu'il s'est fondu en

quelque chose qui possède de la constance.
184 *(a)* Ce sont là justement les amants dont notre coutume souhaite de faire l'épreuve de la bonne et belle manière, et pour céder aux vœux des uns, tandis qu'on fuira les autres. Voilà donc pour quels motifs elle recommande aux uns de poursuivre, aux autres de fuir, présidant à la compétition, et éprouvant à laquelle des deux espèces appartient l'amant, à laquelle appartient l'aimé[45]. Voilà donc pour quelle raison, premièrement, on estime qu'il est vilain d'avoir été vite conquis ; on veut que du temps s'écoule : excellent moyen d'épreuve, pense-t-on, dans la plupart des cas ! vilain encore, secondement, de se laisser conquérir par l'appât de l'argent ou par des puissances d'ordre politique, *(b)* soit que de mauvais traitements aient frappé d'épouvante et rendu impossible toute résistance, soit qu'on ne dédaigne pas d'y trouver son avantage en vue de la fortune ou de la carrière politique : rien de cela en effet n'a de stabilité ni de constance, sans compter que ce n'est pas non plus le principe naturel d'une noble tendresse.

« Dès lors, il subsiste dans notre usage une unique voie qui permette à un aimé de céder de la belle façon aux vœux d'un amant. De même en effet que, en vertu de notre usage, l'acceptation par un amant *(c)* de n'importe quel esclavage à l'égard de ses amours n'est point tenu pour adulation ni non plus sujet à réprobation, de même assurément il subsiste encore un autre esclavage volontaire, un seul et unique, qui n'est pas sujet à réprobation, et c'est celui qui se rapporte au mérite. Oui, c'est effectivement chez nous une règle établie, que, si l'on accepte de se mettre au service de quelqu'un dans la conviction que, par celui-là, on deviendra meilleur, soit par rapport à quelque forme de savoir, soit par rapport à tout autre domaine du mérite, il n'y a rien de vilain dans cette volontaire servitude, rien non plus qui soit de l'adulation. On devra dès lors faire coïncider ces deux principes, *(d)* celui qui concerne l'amour des garçons avec celui qui concerne, et l'amour du savoir, et les autres aspects du mérite ; on le devra si l'on veut en venir à ce résultat que ce soit de la part d'un jeune garçon une belle chose d'avoir cédé aux vœux d'un amant. Quand, en effet, sont parvenues à coïncider les dispositions de l'amant et celles du jeune garçon, chacun d'eux ayant sa règle à lui, le premier, de prêter au garçon qui a cédé à ses vœux son assistance pour tout ce en quoi il la lui prêtera à bon droit ; l'autre, de seconder, pour tout ce en quoi à bon droit il le secondera, celui à qui il doit son savoir et sa vertu ; le premier, capable de faire avancer son aimé intellectuellement *(e)* et eu égard à tout mérite en général, le second, ayant besoin d'avancer quant à l'acquisition de la culture et du savoir en général ; oui, c'est alors, par la coïncidence au même point de ces deux règles, que, en ce point seulement, ce résultat se réalise, que ce soit de la part d'un jeune garçon une belle chose, d'avoir cédé aux vœux de son amant ; mais ce n'est nulle part ailleurs. Dans ce cas, il n'y a rien de déshonorant à s'être fait des illusions, tandis que, dans tous les autres, que l'on ait été dupe ou non d'illusions, on s'en trouve

185 également déshonoré ! *(a)* Que l'on ait en effet, après avoir, en vue de la richesse, cédé aux vœux d'un amant qu'on croit riche, été victime d'une illusion et qu'on n'en retire point d'argent l'amant s'étant révélé pauvre, la vilenie n'en est point diminuée ; car celui qui s'est conduit de la sorte a fait ainsi, juge-t-on, montre de ce que foncièrement il est : un être prêt, pour de l'argent, à se mettre en n'importe quoi au service de n'importe qui ; or, ce n'est pas une belle chose. En vertu du même raisonnement, si, après avoir cédé aux vœux d'un amant parce qu'on le croit vertueux et dans l'espoir de devenir soi-même meilleur grâce à sa tendresse, on a été victime d'une illusion, *(b)* l'amant s'étant révélé vicieux et dépourvu de mérite, il n'en est pas moins vrai que c'est une belle illusion ; car celui-là, de son côté, a manifesté, lui aussi, juge-t-on, le fond de sa nature ; celle d'un être prêt, pour le mérite et en vue de devenir meilleur, à déployer son zèle en toute chose et à l'égard de tout le monde ; or, c'est, inversement, tout ce qu'il y a de plus beau !

« Voilà l'Amour qui relève d'Aphrodite la Céleste, Céleste lui aussi, et dont la valeur est grande, aussi bien pour un Etat que pour de simples particuliers, *(c)* en tant qu'il oblige l'amant comme l'aimé, chacun à être lui-même en souci de lui-même ! Quant aux autres, ils relèvent tous de l'autre Déesse, d'Aphrodite la Populaire.

« C'est là, Phèdre, dit-il, la contribution, à vrai dire improvisée[46], que je t'apporte au sujet d'Amour. »

PREMIER INTERMÈDE : LE HOQUET D'ARISTOPHANE.

« Pausanias ayant ainsi fait pause, car les Doctes m'ont appris à équilibrer mon langage[47], Aristodème me contait que c'était alors à Aristophane de parler ; mais que, soit pour s'être gorgé à l'excès, soit pour toute autre cause, il se trouvait avoir été pris d'un hoquet qui ne lui permettait pas de prendre la parole. *(d)* Ce qui ne l'empêcha pas de s'adresser à Eryximaque le médecin, lequel en effet était installé à la place en contre-bas de la sienne : « Eryximaque, lui dit-il, tu ferais bien, soit de m'arrêter ce hoquet, soit de parler au lieu de moi jusqu'à ce que je me le sois arrêté ! – Eh bien ! répliqua Eryximaque, je vais faire les deux choses : je prendrai en effet ton tour de parole, et toi le mien quand tu te le seras arrêté ; et, d'autre part, pendant que moi je parlerai, aie l'obligeance de retenir longtemps ta respiration, alors arrêt de ton hoquet ! Dans le cas contraire, gargarise-toi avec de l'eau. *(e)* Et si, par hasard, il résiste totalement, prends quelque chose avec quoi tu puisses te chatouiller le nez, éternue, et, quand tu l'auras fait une fois ou deux, enfin, si totalement résistant qu'il soit, il s'arrêtera ! – Ne pourrais-tu pas te presser de parler ! dit Aristophane. Quant à moi, je vais faire ce que tu dis ! »

3. DISCOURS D'ÉRYXIMAQUE.

« Eh bien ! dit alors Eryximaque, c'est, à mon avis, une nécessité pour moi, puisque
186 Pausanias, *(a)* après être, pour prononcer son discours, si bien parti, n'a pas fini comme il fallait, d'avoir obligatoirement à tâche d'ajouter à son discours une fin. C'est fort bien en effet, à mon avis, d'avoir distingué un double amour. Mais ce n'est pas uniquement aux âmes des hommes que s'applique cette distinction, eu égard aux beaux garçons ; mais, en outre, eu égard à quantité d'autres choses, et principalement dans le corps des animaux, dans ce qui pousse sur la terre, et, pour bien dire, dans tout ce qui existe ; observation qui, selon moi, résulte de la médecine, *(b)* notre art, et qui montre en Amour un grand Dieu, un Dieu merveilleux, dont l'action est universelle, aussi bien dans l'ordre des choses humaines que dans celui des choses divines.

Amour et médecine.

« C'est par la médecine que je commencerai mon discours, et aussi afin d'apporter à l'Art[48] l'hommage de notre vénération. La nature des corps comprend en effet le double amour, et en voici la preuve. Tout le monde s'accorde à penser que, dans le corps, le sain et le morbide sont distincts et dissemblables ; or le dissemblable a envie et amour de ce qui lui est dissemblable ; ainsi donc, autre est l'amour dans le cas du corps en bonne santé, autre est celui qui est dans le corps malade. Dès lors, tout de même que Pausanias disait quelle beauté il y a de céder aux vœux d'un homme de bien, quelle laideur il y a *(c)* de céder à ceux des incontinents, pareillement, dans les corps eux-mêmes, il est beau aussi de céder aux vœux de ce qui, dans chaque corps, est bon, je veux dire est sain ; c'est même une obligation, obligation qui a nom : pratique de la médecine ; en faire autant pour le mauvais et le malade, c'est une vilaine chose, et il est obligatoire d'en contrarier les vœux si l'on veut être un bon praticien. La médecine est en effet, pour le dire sommairement, la science des phénomènes d'amour dont le corps est le siège, eu égard au remplissement et à l'évacuation, et celui qui, dans ces phénomènes, diagnostique *(d)* le bel amour et le mauvais amour, celui-là est le plus médecin des médecins ; en outre, celui qui réalise un changement de nature à substituer à la possession d'un des amours celle de l'autre, et qui sait produire l'amour là où il n'est pas, et où il faudrait qu'il fût, ou bien l'extirper dans le cas contraire là où il se trouve, celui-là doit être un homme qui sait bien son métier[49] ; il doit en effet être capable, évidemment, de faire que ce qu'il y a de plus ennemi l'un de l'autre dans le corps devienne ami et s'aime mutuellement. Or, ce qu'il y a de plus ennemi, c'est ce qu'il y a de plus contraire : le froid à l'égard du chaud, l'amer à l'égard du doux, *(e)* le sec à l'égard de l'humide, et toutes les oppositions du même genre[50]. C'est parce que, entre elles, il a eu l'art de faire naître amour et concorde, que notre ancêtre Asclèpios[51], ainsi que vous l'assurez, Messieurs les poètes[52], a constitué notre art. Donc, c'est ce que je prétends, la médecine est tout entière

187 régie par ce Dieu, *(a)* et il en est encore de même pour la gymnastique et pour l'agriculture.

Amour et musique.

« Quant à la musique, elle apparaît clairement, et même à tout le monde, fût-ce à un esprit peu capable de réflexion, comme se comportant de la même façon que les arts précédents ; ainsi, probablement, que veut aussi le faire entendre Héraclite, en dépit de la forme défectueuse dans laquelle il s'exprime : l'unité, dit-il en effet, *se compose en s'opposant elle-même à elle-même, tout comme l'accord de l'arc ou celui de la lyre*[53]. Or il est d'une complète inconséquence de dire qu'un accord est une opposition, ou qu'il est constitué par des oppositions qui n'ont pas disparu. Ce que sans doute il voulait dire cependant, c'est que, *(b)* d'une opposition antérieure de l'aigu et du grave, puis de leur conciliation ultérieure, l'art musical a fait un accord ; car il serait impossible assurément que l'accord pût exister, si subsistaient encore et l'aigu et le grave ! L'accord musical est en effet une consonance, et la consonance est une sorte de conciliation ; mais la conciliation ne peut résulter de l'opposition, tant que subsiste éventuellement cette opposition : encore une fois, ce qui s'oppose, et qui n'est point concilié, ne peut constituer un accord. Et il en est encore de même pour le rythme, qui résulte du rapide et du lent, *(c)* du rapide et du lent qui ont été opposés antérieurement, mais qui ultérieurement se sont mis d'accord. Or, en tout cela, la conciliation est, comme tout à l'heure par la médecine, maintenant introduite par la musique, laquelle, entre ces opposés, réalise amour et concorde des uns à l'égard des autres. Autrement dit, la musique est, à son tour, dans le domaine de l'accord et du rythme, science des phénomènes d'amour. En outre, au moins dans la constitution même d'un accord ou d'un rythme, il n'y a nulle difficulté à vrai dire pour faire son diagnostic en matière d'amour, et, en un sens, le double amour n'y existe même pas encore[54]. Au contraire, dès qu'il y a lieu, par rapport à des hommes, *(d)* d'utiliser les rythmes et les accords, soit en composant (ce qu'on appelle faire la musique d'un chant), soit en faisant de tels chants mis en musique, ou bien de poèmes, un emploi correct (ce qu'on a nommé la culture), c'est alors, et que la difficulté existe et qu'on a besoin de quelqu'un qui sache bien son métier. Une fois de plus en effet revient encore, dans ce cas, la même thèse : c'est aux vœux des hommes dont la conduite est bien réglée et dans l'espoir que ceux dont ce n'est pas encore le cas pourront avoir une conduite mieux réglée, c'est aux vœux de ceux-ci qu'il faut céder, c'est leur amour qu'il faut se conserver ; c'est cet amour-là qui est le bel amour, le Céleste, *(e)* celui qui relève de la Muse Uranie[55]. Quant à celui qui relève de Polymnie[56], c'est le Populaire, dont l'application à ceux auxquels on aura eu l'occasion de l'appliquer exige de la prudence, si l'on veut pouvoir en cueillir le plaisir sans que cela nous rende incontinents. C'est de même que dans notre art c'est une grande affaire de bien s'y prendre avec les désirs relatifs à l'art de faire bonne chère, de façon à en cueillir le plaisir sans nous rendre malades.

Amour et astronomie.

« Ainsi donc, dans la musique comme dans la médecine, et partout ailleurs, aussi bien dans les choses humaines que dans les choses divines, nous devons, pour autant que cela nous est permis, prendre garde à

chacun de ces deux amours, car ils s'y
188 trouvent inclus l'un et l'autre. *(a)* Puisque également la constitution des saisons de l'année est toute pleine de ces deux amours réunis, quand il arrive aux opposés dont je parlais tout à l'heure, chaud et froid, sec et humide, d'avoir dans leurs relations mutuelles rencontré l'amour bien réglé et d'avoir réussi à s'harmoniser et à se combiner sagement, alors ces opposés viennent apporter la prospérité, la bonne santé aux hommes, à tous les animaux aussi bien qu'aux plantes, et ils ne leur causent aucun dommage. S'il arrive au contraire que l'amour qui s'accompagne de démesure se soit rendu prédominant en ce qui concerne les saisons de l'année, *(b)* alors ce ne sont que destructions et dommages : c'est de ce genre de causes que proviennent en effet ordinairement les épidémies et aussi une foule bigarrée d'autres maladies, également pour les bêtes et pour les plantes : les gelées, les grêles, la nielle du blé résultent en effet d'un déséquilibre et d'un défaut d'ordre dans les relations mutuelles des phénomènes d'amour qui sont de cet ordre. A la science de ces phénomènes, en ce qui concerne tant les révolutions des astres que les saisons de l'année, on donne le nom d'astronomie.

Amour et divination.

« Il y a plus : les sacrifices aussi en totalité, avec les pratiques auxquelles préside la divination, *(c)* pratiques fondées sur l'existence d'une communauté concernant Dieux et hommes, les uns à l'égard des autres, tout cela n'a qu'un but : préserver l'amour aussi bien que le guérir. Toute impiété, en effet, naît de ce que, au lieu de céder aux vœux de l'amour bien réglé, au lieu de l'honorer, de le vénérer en tout ce qu'on fait, c'est ainsi qu'au contraire on se comporte envers l'autre, et en ce qui concerne les parents, aussi bien vivants que défunts, et en ce qui concerne les Dieux. C'est à ce propos justement qu'il a été prescrit à la divination de faire un examen attentif des amours et de les soumettre à un traitement. Autrement dit, *(d)* la divination, quant à elle, pratique le métier de faire amis les Dieux et les hommes, parce qu'elle est science de tous les phénomènes d'amour, qui, de la part des hommes, tendent à l'observation des lois divines et à la piété envers les Dieux.

« Voilà quel est le nombre, quelle est la grandeur, bien plus, quelle est, d'une façon générale, l'universelle influence que possède l'universel Amour. Mais celui qui possède l'influence la plus considérable, aussi bien auprès de nous qu'auprès des Dieux, c'est celui qui, avec mesure et justice, s'achève en bons effets ; c'est lui qui est pour nous l'artisan de tout bonheur, lui qui nous donne aussi la possibilité d'avoir les uns avec les autres commerce et amitié, *(e)* ainsi qu'avec les êtres qui nous sont supérieurs : les Dieux. Oui sans doute, dans mon éloge d'Amour, je laisse bien des choses de côté, mais c'est du moins sans intention. Au reste, si j'ai omis quelque point, ce sera ton affaire, Aristophane, de combler la lacune. Ou bien, si tu as en tête de chanter de quelque autre manière la louange du Dieu, chante-la donc, cette louange, puisqu'aussi bien, voilà que tu es débarrassé de ton hoquet ! »

4. Discours d'Aristophane.

189 *(a)* « Sur ce, poursuivait Aristodème, son tour de parler étant revenu à Aristophane : « Oui, dit-il, mon hoquet s'est radicalement arrêté, mais pas avant toutefois d'avoir subi la contrainte de l'éternuement : belle occasion de m'émerveiller que le corps ait besoin, pour trouver le bon ordre, de pareils fracas et titillations, comme justement il s'en produit quand on éternue ! Toujours est-il que tout de suite il s'est arrêté, dès que, contre lui, j'ai amené l'éternuement ! – Attention à ce que tu fais, Aristophane, mon bon ! repartit Eryximaque. Tu cherches à faire rire au moment où tu vas parler ; et ainsi, tu me forces à monter la garde, moi, *(b)* autour de ton discours à toi, pour le cas où tu dirais des choses pour rire, tandis qu'il t'était loisible de discourir paisiblement ! – Bien parlé, Eryximaque ! répondit en riant Aristophane. Mettons que ce que j'ai dit, je ne l'aie pas dit ! Ne monte pas cependant la garde autour de moi ; car ce dont j'ai peur quant à mes futures paroles, ce n'est point qu'elles ne fassent guère rire (ce qui effectivement serait pour notre Muse[57] un bénéfice et un effet de sa part bien naturel), c'est plutôt qu'elles ne soient ridicules ! – Alors, une fois décoché ce trait d'esprit, riposta Eryximaque, tu t'imagines, Aristophane, que tu vas t'en tirer ! Fais bien attention, au contraire, *(c)* et parle en te disant que tu auras des comptes à rendre !

Peut-être cependant te lâcherai-je, si cela me dit ! –

« Il est bien vrai, Eryximaque, reprit Aristophane, que j'ai en tête de parler dans un autre sens que vous ne l'avez fait, toi comme Pausanias. A mon avis, en effet, les hommes n'ont absolument pas conscience du pouvoir d'Amour, car, s'ils en avaient conscience, ils lui auraient élevé les temples les plus imposants, dressé des autels, offert les plus riches sacrifices ; et non, comme aujourd'hui, où rien de tel n'existe à son sujet, tandis que l'existence en est tout ce qu'il y a de plus nécessaire ! *(d)* C'est que, parmi les Dieux, il n'y en a pas qui aime davantage les hommes : secourable pour eux, guérisseur des maux dont la guérison est sans doute, pour le genre humain, la plus haute félicité[58]. Je vais donc essayer de vous initier au pouvoir d'Amour, et cet enseignement, à votre tour, vous le donnerez aux autres.

L'humanité primitive.

« Or, ce qu'il vous faut commencer par apprendre, c'est quelle est la nature de l'homme et quelle en a été l'évolution ; car autrefois notre nature n'était pas[59] celle que précisément elle est aujourd'hui, mais d'une autre sorte. Premièrement, l'espèce humaine comportait en effet trois genres ; *(e)* non pas deux comme à présent, mais, en outre de mâle et femelle, il y en avait un troisième, qui participait de ces deux autres ensemble, et dont le nom subsiste de nos jours bien qu'on ne voie plus la chose elle-même : il existait alors en effet un genre distinct, l'androgyne, qui, pour la forme comme par le nom, participait des deux autres ensemble, du mâle comme de la femelle ; ce qui en reste à présent, ce n'est qu'une dénomination, tenue pour infamante. Deuxièmement, chacun de ces hommes était, quant à sa forme, une boule d'une seule pièce, avec un dos et des flancs en cercle[60] ; il avait quatre mains et des jambes en nombre égal à celui des

190 mains ; *(a)* puis, sur un cou tout rond, deux visages absolument pareils entre eux, mais une tête unique pour l'ensemble de ces deux visages, opposés l'un à l'autre ; quatre oreilles ; parties honteuses en double ; et tout le reste comme cet aperçu permet de le conjecturer ! Quant à la démarche de cet être, elle pouvait se faire comme maintenant, en droite ligne dans telle direction qu'il souhaitait ; ou bien, quand il entreprenait de courir vite, c'était à la façon d'une culbute et comme quand, en faisant la roue, on se remet d'aplomb dans la culbute par une révolution des jambes : en s'appuyant sur les huit membres qu'il possédait alors, l'homme avançait vite, à faire ainsi la roue ! *(b)* Or, s'il y avait trois genres et tels que j'ai dit, c'est pour cette raison que, originairement, le mâle était un rejeton du soleil ; la femelle, de la terre ; de la lune enfin, celui qui participe de l'un et de l'autre ensemble, attendu que la lune aussi participe des deux autres astres ensemble. Et justement, s'ils étaient tournés en boule, eux-mêmes aussi bien que leur démarche, c'est parce qu'ils ressemblaient à leurs parents. Leur force et leur vigueur étaient d'ailleurs extraordinaires, et grand leur orgueil. Or, ce fut aux Dieux qu'ils s'attaquèrent, et ce que rapporte Homère d'Ephialte et d'Otos[61], auxquels il fait entreprendre l'escalade du ciel, a rapport à ces hommes-là *(c)* et à leur intention de s'en prendre aux Dieux.

Origine de l'humanité actuelle.

« Sur ces entrefaites, Zeus et les autres Dieux délibéraient de ce qu'il leur fallait faire, et ils en étaient fort en peine : pour eux il n'y avait moyen en effet, ni de faire périr les hommes et d'en anéantir l'espèce comme ils avaient fait des Géants, en les foudroyant ; car c'eût été l'anéantissement, pour eux-mêmes, des honneurs et des offrandes qui leur viennent des hommes ; ni de leur permettre cette attitude impudente : « *Je crois bien,* dit enfin Zeus après s'être bien fatigué à y réfléchir, *que je tiens un moyen de faire, à la fois qu'il y ait des hommes, et que,* (d) *étant devenus plus faibles, ils mettent un terme à leur insolence*[62]. *A cette heure en effet,* poursuivit-il, *je m'en vais sectionner chacun en deux, et, en même temps qu'ils seront plus faibles, en même temps ils seront pour nous d'un meilleur rapport, du fait que le nombre en aura augmenté. En outre, ils marcheront sur leurs deux jambes, en se tenant droit. Mais si, à*

notre jugement, leur impudence continue et qu'ils ne veuillent pas se tenir tranquilles, alors, conclut-il, *à nouveau je les couperai encore en deux, de façon à les faire déambuler sur une seule jambe, à cloche-pied.* » Cela dit, il coupa les hommes en deux, à la façon de ceux qui coupent les cormes *(e)* dans l'intention de les conserver, ou à la façon de ceux qui coupent les œufs avec un crin. Dès qu'il avait coupé un de ces hommes, Zeus enjoignait à Apollon[63] de lui retourner le visage, ainsi que la moitié du cou, du côté de la coupure, afin que l'homme, ayant le spectacle du sectionnement subi par lui, en devînt plus modeste ; il avait l'ordre aussi de remédier aux suites de l'opération. Et le voilà qui retournait les visages ; qui, ramenant de tous les côtés les peaux sur ce qui aujourd'hui s'appelle le ventre (de la façon dont on coulisse une bourse), les liait fortement vers le milieu du ventre, en ne laissant qu'une ouverture : ce que précisément nous appelons nombril. Puis, comme il restait
191 encore des plis, *(a)* il en effaçait la plupart en polissant, et façonnait la poitrine en employant un outil analogue à celui avec lequel les cordonniers effacent les plis du cuir en le polissant sur la forme. Mais il en

laissa subsister un petit nombre, ceux qui entourent le ventre lui-même et le nombril pour servir à commémorer l'état ancien.

L'évolution de l'amour et l'explication de ses diverses formes.

« Or, quand la nature de l'homme eut été ainsi dédoublée, chaque moitié, regrettant sa propre moitié, s'accouplait à elle ; elles se passaient leurs bras autour l'une de l'autre, elles s'enlaçaient mutuellement dans leur désir de se confondre en un seul être, finissant *(b)* par mourir de faim et, en somme, de l'inaction causée par leur refus de faire quoi que ce soit l'une sans l'autre. En outre, quand une des moitiés était morte et que l'autre survivait, cette survivante en cherchait une autre, et elle s'enlaçait à elle, aussi bien quand elle avait rencontré une moitié de femme, de femme entière (ladite moitié étant précisément ce qu'aujourd'hui nous appelons une femme[64]) ; aussi bien quand c'était une moitié d'homme. De cette façon l'espèce humaine disparaissait. Or, s'en étant ému, Zeus s'avise d'un autre procédé, et il leur transporte leurs parties honteuses par devant ! Jusqu'alors en effet ils les avaient en dehors, elles aussi[65] ; *(c)* et ce n'était pas en s'unissant l'un à l'autre, mais, à la façon des cigales, dans la terre, qu'ils engendraient et se reproduisaient[66]. Voilà donc qu'il les leur a transportées, comme cela, sur le devant ; et, par leur moyen, il leur a permis d'engendrer l'un dans l'autre, dans la femelle par l'action du mâle. Son intention, c'était que, par la copulation, à la fois, si c'est avec une femme qu'un homme a commerce, il y eût de leur part génération, accroissement de l'espèce humaine ; tandis que, à la fois, si même c'est avec un mâle, la satiété au moins résultât de ce commerce et les tournât alors vers l'action : c'est-à-dire qu'ils se préoccuperaient d'autre chose dans l'existence ! *(d)*

« Ainsi, c'est depuis un temps aussi lointain, qu'est implanté dans l'homme l'amour qu'il a pour son semblable : l'amour, réassembleur de notre primitive nature ; l'amour qui, de deux êtres, tente d'en faire un seul, autrement dit, de guérir l'humaine nature ! Chacun de nous est donc la moitié complémentaire d'un homme[67], qui, coupé comme il l'a été, ressemble à un carrelet : un être unique dont on a fait deux êtres. Aussi tous ceux d'entre les hommes qui sont une coupe de cet être mixte qu'alors justement on appelait androgyne sont amoureux des femmes, et c'est de ce genre que sont issus, *(e)* pour la plupart, les hommes qui trompent leur femme ; de même, à leur tour, toutes les femmes qui aiment les hommes, et de ce genre proviennent les femmes qui trompent leur mari ! D'autre part, toutes celles des femmes qui sont une coupe de femme primitive, celles-là ne font pas grande attention aux hommes, mais c'est bien plutôt vers les femmes qu'elles sont tournées, et c'est de ce genre que proviennent les tribades. Tous ceux enfin qui sont une coupe d'un mâle originaire recherchent les moitiés mâles, et, aussi longtemps qu'ils seront petits garçons, en leur qualité de morcillons de ce mâle primitif, ils aimeront

192 les hommes faits, *(a)* ils prendront plaisir à partager la couche de ceux-ci et à s'enlacer à eux ; ce sont eux qui, entre les petits garçons et les adolescents, sont les plus distingués, en tant que ce sont eux qui, de nature, sont les plus mâles. Mais, dit-on, ce sont tout simplement des impudiques ! On se trompe ; car ce n'est pas par impudicité qu'ils se conduisent ainsi ; mais, comme ils ont de la hardiesse, de la virilité, un air mâle, ils s'attachent à ce qui leur ressemble. Or, il en existe une preuve qui compte : c'est que, une fois qu'ils ont grandi, seuls ceux qui sont ainsi faits se révèlent finalement des hommes, en se dirigeant vers les affaires de l'Etat. *(b)* D'autre part, parvenus à l'âge d'homme, ce sont les garçons qu'ils aiment, et, par nature, ils ne prennent pas intérêt au mariage, ni à la procréation d'enfants ; mais c'est l'usage qui leur en fait une obligation : satisfaits cependant de passer leur vie tous deux ensemble, en célibataires. Ainsi donc, d'une façon générale, l'individu qui a ce caractère est aussi bien porté à aimer un jeune garçon qu'à aimer un amant, toujours s'attachant à ce qui lui est apparenté.

« Aussi bien, quand il lui arrive d'avoir commerce avec cette moitié de lui-même dont je parle, alors l'amoureux des jeunes garçons, et de même toute autre sorte d'amoureux, *(c)* tous, ils se sentent miraculeusement frappés par une forte émotion d'amitié, de parenté, d'amour ; se refusant, pour bien dire, à se séparer l'un de l'autre, fût-ce même pour peu de temps. Bien plus, ce sont ceux-là qui passent, d'un bout à l'autre, leur vie ensemble, eux qui seraient même incapables d'exprimer ce qu'ils souhaitent de se voir arriver l'un par l'autre! Car personne ne se dirait que c'est le partage de la jouissance sensuelle, personne ne verrait là, en fin de compte, le motif du plaisir que prend chacun d'eux à partager la vie de l'autre avec une pareille grandeur dans le dévouement. *(d)* Mais c'est une autre chose que souhaite manifestement l'âme de chacun d'eux, une autre chose qu'elle ne peut exprimer, un souhait dont elle devine cependant l'objet et qu'elle laisse comprendre! Vous pouvez les imaginer, étendus sur la même couche, et voyant, debout devant eux, Hèphaïstos, qui, ses outils à la main, leur poserait cette question[68] : « *Qu'est-ce que vous souhaitez, hommes, vous voir arriver l'un par l'autre ?* » Vous pouvez les imaginer en peine de répondre et de nouveau questionnés par lui : « *Est-ce de ceci, dites, que vous avez envie ? de vous confondre le plus possible l'un avec l'autre en un seul être, de façon à ne vous quitter l'un l'autre ni nuit ni jour ? Si c'est en effet de cela que vous avez envie,* (e) *je ne demande pas mieux que de vous fondre ensemble et, avec mon soufflet de forgeron, de faire de vous un alliage ; en sorte que, de deux êtres que vous êtes, vous en soyez devenus un seul, et que, tant que vous vivrez, vous viviez tous deux ensemble d'une existence commune, comme si vous étiez un seul être ; puis, après votre mort, là-bas, chez Hadès, au lieu d'être deux, vous soyez encore un seul, ayant eu, tous deux, une mort commune. Allons ! voyez si c'est là ce que vous convoitez et si vous serez satisfaits d'en avoir obtenu la réalisation !* » Il n'y en aurait pas un seul, nous en sommes bien sûrs, qui, en entendant cette proposition, la refuserait, il ne s'en découvrirait pas un seul non plus pour souhaiter autre chose ! Mais ils penseraient, bel et bien, avoir entendu exprimer ce dont, en fin de compte, ils avaient depuis longtemps envie : de joindre l'aimé, de se fondre avec lui, et ainsi, de deux êtres qu'ils étaient, en devenir un seul !

« En voilà effectivement la raison : notre antique nature était celle que j'ai dite, et nous étions d'une seule pièce ! Aussi bien est-ce au désir et à la recherche de cette nature d'une seule pièce, *(a)* qu'on donne le nom d'amour. En d'autres termes, auparavant, c'est ce que je dis, nous étions un être unique ; mais maintenant, à cause de notre injuste conduite, notre unité a été dissoute par le Dieu, de la même façon que, par les

193

Lacédémoniens, l'unité arcadienne[69]. Or il est à craindre, si nous ne sommes pas modestes à l'égard des Dieux, que nous ne soyons, une fois de plus, fendus en deux, et qu'alors nous ne nous promenions, pareils aux personnages dont on voit sur les stèles[70] le profil en bas-relief, sciés en deux selon l'axe de notre nez, devenus pareils aux osselets qu'on coupe en deux ! Eh bien ! voilà pour quels motifs c'est une recommandation qu'on doit faire à tout homme : de témoigner en toutes choses aux Dieux un pieux respect, *(b)* en vue, aussi bien, d'éviter la seconde alternative, que de parvenir, avec Amour pour guide et pour chef, à réaliser la première. Que nul ne fasse rien qui contrarie Amour ! Or, le contrarie quiconque se rend odieux à la Divinité. C'est que, une fois en amitié et paix avec Amour, nous mettrons la main sur les aimés qui sont proprement nôtres et avec eux nous aurons commerce : ce que font à notre époque bien peu de gens ! Ah ! qu'Eryximaque, prêtant à mes paroles une intention comique, n'aille pas supposer que je parle de Pausanias et d'Agathon. Sans doute est-il probable *(c)* qu'ils sont en effet précisément de ceux-là et que leur nature est, à tous deux, d'être des mâles[71] ! Quoi qu'il en soit, c'est en ayant égard, quant à moi, à tous les hommes, à toutes les femmes, sans exception, que je le dis : le moyen pour notre espèce de parvenir au bonheur, ce serait, pour nous, de donner à l'amour son achèvement, c'est-à-dire que chacun eût commerce avec un aimé[72] qui soit proprement le sien ; ce qui est pour chacun revenir à son antique nature. Et, si celle-ci est la perfection, alors ce qu'il y a de plus parfait parmi les réalités de notre expérience présente est forcément aussi ce qui s'en rapproche le plus. Or, c'est d'avoir commerce avec un aimé qui soit selon son cœur en vertu de la nature.

« Ainsi donc, en célébrant le Dieu à qui nous devons cela, *(d)* c'est Amour qu'à bon droit nous célébrerions : Amour qui, dans le présent, nous donne le plus d'avantages, en nous menant à la condition qui nous est propre ; Amour qui nous procure, pour l'avenir, les plus grandes espérances : celles de le voir, si nous témoignons aux Dieux un pieux respect, nous rétablir dans notre antique nature, nous guérir, et ainsi nous donner béatitude et félicité !

DEUXIÈME INTERMÈDE.

« Voilà, Eryximaque, dit-il, quel est mon discours au sujet d'Amour, et d'un autre genre que le tien : aussi rappelle-toi ce que je t'ai demandé, n'y va pas chercher de thèmes comiques, *(e)* tu nous empêcherais d'écouter ce que dira chacun de ceux qui restent ; plus exactement chacun des deux qui restent, car il n'y a plus qu'Agathon et Socrate... – Eh bien ! répondit Eryximaque, je t'obéirai ; car non seulement ce que tu as dit m'a beaucoup plu, mais même, si je n'avais conscience de la supériorité de Socrate et d'Agathon sur les questions d'amour, j'aurais grand'peur qu'ils ne fussent en peine pour leurs discours, après la quantité et la variété des choses qui ont été déjà dites ! En fait, cependant, je ne suis pas

194 inquiet ! *(a)* – Toi-même, Eryximaque, intervint alors Socrate, tu as effectivement pris à notre concours une belle part. Si pourtant tu devais te trouver à la place que j'occupe à présent, ou plutôt dans la situation où probablement je serai après qu'Agathon, lui aussi, aura fait un discours excellent, tu aurais bien grand'peur, et ton inquiétude serait extrême, comme est à présent la mienne ! – Socrate, dit Agathon, tu veux m'ensorceler, pour que, à me figurer ce théâtre-ci en grande attente du soi-disant beau discours que je ferai, j'aille en perdre la tête ! – Il faudrait, Agathon, repartit Socrate, que je n'eusse guère de mémoire, *(b)* moi qui ai été témoin de ta vaillance, de ton attitude assurée, au moment où, avec tes acteurs, tu montais sur l'estrade, où ton regard affrontait ce théâtre si vaste, devant lequel tu allais produire une œuvre de toi, sans que tu en fusses le moins du monde épouvanté, ... si maintenant je m'imaginais que tu vas perdre la tête pour le petit public que nous faisons ! – Qu'est-ce à dire, Socrate ? répliqua Agathon : tu ne me juges pas, bien sûr, à ce point empli de vanité théâtrale que je puisse méconnaître cette vérité, que, aux yeux d'un homme qui réfléchit, *(c)* un petit nombre de gens intelligents est plus redoutable qu'un grand nombre de gens sans intelligence ! – J'aurais grand tort assurément, Agathon, dit Socrate, si un homme comme toi, celui que moi je suis le suspectait de quelque inélégance ! Je sais pertinemment au contraire que, s'il t'arrivait de rencontrer des gens que tu jugerais savants, d'eux tu ferais plus de cas que de la foule ! Prends garde cependant que ces savants-là, ce n'est pas nous, puisque, là-bas même, nous étions dans l'assistance, et que nous faisions partie de la foule ! Mais, si c'étaient d'autres, et savants cette fois, qu'il t'arriverait de rencontrer, sans doute est-ce devant eux que tu rougirais, si peut-être tu pensais faire quelque chose de laid ; est-ce ton avis ? – Oui, en vérité ! dit-il. *(d)* – Tandis que, devant la foule, tu ne rougirais pas si tu pensais faire quelque chose de laid ? » A ce moment, contait Aristodème, Phèdre intervint : « Si tu réponds à Socrate, cher Agathon, il va dès lors se désintéresser de l'issue de ce qui se fait ici ; pourvu seulement qu'il ait avec qui converser, et surtout si c'est un beau garçon ! Quant à moi, quelque plaisir que j'aie à écouter une conversation de Socrate, je suis forcé d'autre part de veiller, pour Amour, à la célébration de sa louange et, par chacun de vous individuellement, de me faire remettre son discours. Que chacun de vous deux par conséquent commence par payer au Dieu sa dette, *(e)* et, comme cela, il pourra bien ensuite converser à sa guise ! – Eh bien ! dit Agathon, tu as raison, Phèdre, et rien ne m'empêche de parler, puisque je ne manquerai pas de trouver plus d'une occasion encore de converser avec Socrate !

5. DISCOURS D'AGATHON.[73]

« Sur ce, donc, mon intention à moi est, en premier lieu, de dire quelle méthode doit présider à mon discours, ensuite de faire ce discours. A mon avis, en effet, tous ceux qui ont discouru auparavant n'ont pas célébré les louanges du Dieu, mais ils ont félicité les hommes pour les biens qu'ils doivent à ce

195 Dieu ; *(a)* quant à la nature qui lui a permis de les gratifier de ces biens, nul n'en a dit les caractères. Or, pour tout éloge et sur tout sujet, il existe un unique procédé correct : c'est d'exposer théoriquement, à propos de l'objet dont on traite éventuellement, en vertu de quelle nature cet objet peut être la cause de ce dont il est la cause. C'est donc ainsi qu'à notre tour nous louerons légitimement Amour : premièrement, en disant quelle est sa nature ; deuxièmement, en disant ses bienfaits.

« Ceci posé, entre tous les Dieux, et qui ont la félicité, Amour, je le déclare (à condition qu'il soit permis de le dire et que cela ne doive pas susciter leur jalousie[74]), Amour est le plus heureux, parce que, entre eux tous, il est le plus beau, et parce qu'il est ce qu'il y a de plus excellent.

A. La nature d'Amour.

a) *Sa beauté.*

« Or voici en raison de quels caractères il est le plus beau. Premièrement, il est, Phèdre, *(b)* des Dieux le plus jeune : une preuve qui s'impose est par lui-même fournie à l'appui de cette assertion : c'est de quelle fuite il fuit la vieillesse, rapide évidemment, qui en tout cas s'avance contre nous plus rapidement qu'il ne faudrait ; la vieillesse qu'il est naturel à l'amour de haïr, de ne même pas approcher, fût-ce à distance, tandis que la compagnie de la jeunesse est toujours la sienne, à lui qui est jeune ; car il dit vrai, l'antique adage[75], que le semblable se rapproche toujours de son semblable ! Et, tout en m'accordant avec Phèdre sur nombre d'autres points, non, je ne lui accorde pas celui-ci : qu'Amour soit plus ancien que Cronos et que Japet[76]. *(c)* Bien au contraire, il est, je l'affirme, le plus jeune des Dieux, et il est toujours jeune ; tandis que les vieilles querelles des Dieux racontées par Hésiode et Parménide, à supposer que ceux-ci aient dit la vérité, sont dues à Nécessité, et non point à Amour ; car ces mutilations et ces enchaînements mutuels, sans parler d'une foule d'autres violences[77], ne se seraient pas produits, si déjà Amour avait été des leurs, au lieu, comme à présent et du jour où sur les Dieux règne Amour, de l'amitié et de la paix. Ainsi donc Amour est jeune.

« Mais, en outre de cette jeunesse, *(d)* il est délicat. Or ce n'est pas assez, même d'un poète tel que fut Homère, pour exposer la délicatesse d'une Divinité : Homère déclare bien en effet à propos d'Atè, et qu'elle est une Divinité, et qu'elle est délicate, tout au moins que délicats sont ses pieds, lorsqu'il dit : *« ses pieds certes sont délicats ; car ce n'est pas sur la terre qu'elle s'avance, mais alors, c'est plutôt sur la tête des hommes qu'elle chemine »*[78]. Mais, à mon avis, il en met la délicatesse en évidence au moyen d'un indice frappant, puisque, au lieu de cheminer sur du dur, c'est sur du moelleux qu'elle chemine. *(e)* A notre tour, nous utiliserons donc le même indice, à propos d'Amour, pour montrer qu'il est délicat : car ce n'est pas sur le sol qu'il chemine, ce n'est même pas sur des crânes, lesquels n'ont rien de très moelleux ! mais, bien plutôt, c'est dans tout ce qu'il y a au monde de plus moelleux qu'il chemine et qu'il réside ! C'est en effet dans les dispositions morales, c'est dans les âmes des Dieux et des hommes qu'il asseoit sa résidence ; et encore n'est-ce pas dans toutes les âmes à la file ; mais, s'il lui arrive d'en rencontrer une qui dans son moral ait de la dureté, il s'en éloigne, tandis qu'il s'établit dans celle où il trouvera du moelleux. Mais, comme c'est toujours aussi bien des pieds que de partout, que, dans ce qui est le plus moelleux, il est en contact avec ce qui est le plus moelleux, Amour est nécessairement tout ce qu'il y a de plus délicat.

196 *(a)* « Ainsi donc, Amour est le plus jeune des êtres et le plus délicat. A ces caractères ajoutez la souplesse de sa nature. Il serait incapable en effet d'embrasser de toute manière, pas davantage de traverser une âme, pour y entrer ou en sortir sans qu'on s'en aperçoive, s'il avait de la dureté. Mais la preuve décisive de son aptitude à s'harmoniser à tout et de la souplesse de sa nature, elle est dans cette beauté de la forme, que précisément Amour, en vertu d'un consentement unanime, possède à un degré exceptionnel ; car entre Laideur et Amour il y a, de l'un à l'autre, un perpétuel conflit. Quant à la beauté de son teint, la vie du Dieu, passée dans les fleurs, en est le signe : *(b)* sur ce qui ne fleurit point ou qui a passé fleur, corps, âme ou quoi que ce soit d'autre, Amour ne s'y pose point ; tandis qu'où l'endroit se trouve être bien fleuri, bien parfumé, c'est là qu'il se pose et demeure.

b) *Son excellence ou ses vertus.*

« Ainsi donc, en ce qui concerne la beauté du Dieu, aussi bien en ai-je assez dit, aussi bien reste-t-il encore beaucoup de choses à dire ! Ce dont, après cela, il faut parler, c'est de l'excellence d'Amour. Ce qui est le plus important, c'est qu'Amour, ni ne commet l'injustice, ni n'est victime de l'injustice ; ni de la part d'un Dieu, ni à l'égard d'un Dieu, ni de la part d'un homme, ni à l'égard d'un homme. Car, ni en lui-même, s'il pâtit en quelque chose, il ne pâtit par force, *(c)* vu que Force ne se saisit point d'Amour ; ni par lui-même il n'exerce de force son action quand il l'exerce, vu que c'est en tout de bon gré que tout homme se met au service d'Amour. Or, les choses sur lesquelles il peut y avoir accord du bon gré avec le bon gré, ce sont elles qui sont déclarées justes par *les Lois, reines de l'Etat*[79]. Mais, en outre de la justice, Amour participe à la plus complète tempérance. On s'accorde en effet à faire consister la tempérance dans la maîtrise à l'égard des voluptés et des désirs. Or, il n'y a absolument pas de volupté qui soit plus forte que l'amour. Mais, si des voluptés se trouvent être, étant plus faibles, maîtrisées par amour, si Amour est celui qui maîtrise et que ce qu'il maîtrise ce soient Voluptés et Désirs, il s'ensuit qu'Amour doit être d'une exceptionnelle tempérance. *(d)* Et certainement, si nous passons au courage, avec Amour *même Arès ne peut rivaliser*[80] ; car ce n'est pas Arès qui tient Amour, mais c'est au contraire Amour qui tient Arès, Arès amoureux d'Aphrodite d'après la tradition. Or, celui qui tient est plus fort que celui qui est tenu. Mais celui qui maîtrise celui qui est plus courageux que tout autre, doit être lui-même, entre tous, l'être le plus courageux. Ainsi donc, voilà qui est dit sur la justice du Dieu, sur sa tempérance, sur son courage. Reste à parler de son savoir ; en conséquence, il faut n'être en reste de rien. Et tout d'abord, dans l'intention, à mon tour, d'honorer mon art *(e)* comme a fait pour le sien Eryximaque, le Dieu, dirai-je, est un poète qui sait à tel point son affaire qu'il est capable d'en produire une autre[81] : il n'est personne, en tout cas, *fût-on même jusque-là sans culture*[82], qui ne devienne poète quand de lui Amour s'est emparé ! C'est de quoi il convient de nous servir pour attester que, d'une façon générale, Amour est bon créateur en toute création, dans le domaine de la culture ; car ce qu'on ne possède pas ou

197 qu'on ne sait pas, *(a)* il n'y a pas moyen, ni d'en faire don à autrui, ni d'en instruire autrui. Bien plus, en ce qui concerne la création de tous les vivants, qui contestera qu'il existe chez Amour un savoir grâce auquel naissent et croissent tous les vivants ? Mais, touchant les opérations des métiers, ne savons-nous pas fort bien que celui dont ce Dieu se sera fait l'instructeur, celui-là finira par être considéré et illustre ? obscur au contraire, celui à qui Amour ne se sera point attaché ? Il est du moins certain que, si Apollon a inventé l'art de tirer de l'arc, l'art médical, l'art divinatoire, *(b)* c'est guidé par le désir et par l'amour ; en sorte que, même lui, serait disciple d'Amour ; et les Muses, ses disciples pour l'art musical ; et Hèphaïstos, pour l'art de forger ; Athèna, pour celui de tisser ; Zeus enfin, pour l'art de *gouverner les Dieux aussi bien que les hommes.* C'est de là évidemment que provient aussi le règlement des querelles des Dieux, une fois qu'Amour eut fait son apparition : un amour de beauté, la chose est claire, car l'amour ne fait pas suite à la laideur. Or, jusque-là, ainsi que je l'ai dit en commençant, quantité de choses affreuses, d'après la légende, avaient lieu parmi les Dieux, parce que régnait Nécessité ; mais, après la naissance de notre Dieu, l'amour des belles choses a engendré tous les biens, pour les Dieux aussi bien que pour les hommes. *(c)*

B. Les bienfaits d'Amour.

« Ainsi, Phèdre, selon mon opinion, c'est Amour qui est le premier à être ce qu'il y a de plus beau et de plus excellent ; ensuite, il est pour les autres êtres le principe d'autres effets analogues. Il me vient cependant à l'esprit d'un peu me servir aussi du vers pour dire que c'est à lui que sont dus *« La paix chez les humains, le calme sur la mer ; Nul souffle, vents couchés, un sommeil sans souci*[83] *! » (d)* Or c'est lui qui, d'une part, nous vide de l'idée que nous sommes étrangers les uns aux autres ; qui d'autre part nous emplit de celle que nous sommes parents ; c'est à lui qu'est due l'institution de toutes les réunions, telles que celle-ci, où les hommes se réunissent entre eux ; un chef pour eux dans les fêtes, dans les chœurs, dans les cérémonies sacrées ; ouvrant la porte à la sociabilité, fermant la porte à l'insociabilité ; aimant à donner par bienveillance, incapable de donner avec malveillance, aimable avec enjouement ; contemplé des sages, admiré des Dieux ; possession enviée des mal partagés, possession appréciée des bien partagés ; père de Bien-être, de Délicatesse, de Langueur, des Grâces, de Brûlant désir, d'Amer regret ; soucieux des bons, insoucieux des méchants ; dans le labeur et dans la peur, dans la passion et dans l'expression, au gouvernail, à la bataille[84] ; *(e)* soutien, sauveur, en perfection ; principe d'ordre pour la totalité des Dieux et des hommes ; le coryphée le plus beau, le plus parfait, qu'il y ait obligation de suivre pour tout homme qui de la belle manière entonne l'hymne saint et tient sa partie dans le chant que chante Amour, ensorcelant la pensée des Dieux aussi bien que des hommes !

« Voilà, Phèdre, ma contribution oratoire ; que ce soit au Dieu mon offrande : un mélange, pour autant que j'en suis capable,
198 de fantaisie et de sérieux, approprié. » *(a)*

TROISIÈME INTERMÈDE : LA PAROLE PASSE À LA PHILOSOPHIE. SOCRATE

Après qu'eut parlé Agathon, ce fut, me contait Aristodème, un tumulte d'applaudissements chez tous les assistants, tant la façon dont s'était exprimée sa jeunesse leur semblait digne, et de lui-même, et du Dieu. Mais voici que Socrate prend la parole, en regardant du côté d'Eryximaque : « Fils d'Acoumène, dit-il, manquait-elle, à ton avis, d'être effrayante la frayeur dont jadis je m'effrayai ? Ce que je disais tout à l'heure n'exprimait-il pas prophétiquement, et la merveille que serait le discours d'Agathon, et l'embarras dans lequel je me trouverais ? – Sur un des deux points, répliqua Eryximaque, tu t'es, à mon avis, exprimé prophétiquement : qu'Agathon parlerait excellement ; *(b)* quant à ton embarras futur, je n'y crois pas ! – Et comment, bienheureux ami, repartit Socrate, ne devrais-je pas être dans l'embarras, non seulement moi, mais quiconque devrait prendre la parole après un orateur, dont le discours aurait eu tant de beauté et de diversité[85] ? Tout y était d'ailleurs merveilleux : non sans doute au même degré ; mais la péroraison ! quel auditeur n'eût été stupide, en présence de la beauté du vocabulaire et de la phrase[86] ? De fait, réfléchissant à part moi que, personnellement, je ne serais capable de rien dire qui pût même en approcher, *(c)* alors peu s'en est fallu que je ne me fusse sauvé si j'en avais eu quelque moyen ! Ce discours, en effet, me faisait à tel point souvenir de Gorgias que j'avais, bel et bien, l'impression que dit Homère : oui, j'avais peur qu'Agathon ne finît dans son discours, par lancer, sur mon discours à moi, la tête de Gorgias, de Gorgias à la terrible éloquence, et ne finît en me privant de la voix, par me changer en pierre[87] !

« C'est alors que j'ai eu conscience d'avoir été, en somme, profondément ridicule quand je convenais avec vous de m'associer *(d)* à votre célébration des louanges d'Amour, et quand je me prétendais passé maître sur les choses de l'amour : moi qui évidemment ignorais tout de cette affaire, tout de la façon de s'y prendre pour célébrer les louanges de quoi que ce soit ! Dans ma sottise, je m'imaginais en effet qu'on doit dire des choses vraies sur le compte de chaque objet dont on célèbre la louange, et que cela est fondamental ; que, d'autre part, entre ces choses vraies on fait un choix des plus belles et qu'on les dispose de la manière la meilleure et la plus convenable. Aussi étais-je tout fier à la pensée que j'allais bien parler, puisque je connaissais la vraie façon de louer quoi que ce fût. Mais, je le vis bien, ce n'était pas là, apparemment, la bonne façon de louer quoi que ce fût ! *(e)* C'était, au contraire, de faire à l'objet hommage de toutes les plus grandes, de toutes les plus belles qualités, qu'il en fût de la sorte, tout aussi bien que si cela n'était pas. Cet hommage est-il une erreur ? En réalité, ce n'est pas une affaire ! du moment que, selon toute apparence, on s'est préalablement entendu pour faire semblant, chacun, de célébrer la louange de l'amour, non pour la célébrer effectivement. C'est donc pour ces raisons, je crois, qu'en ramassant tout ce qui se dit, vous en faites hommage à Amour ; que vous proclamez l'excellence de

199 sa nature, la grandeur de ses effets : *(a)* oui, pour le faire éventuellement paraître le plus beau et le plus parfait possible, évidemment aux yeux des gens qui n'y connaissent rien, car ce n'est sans doute pas aux yeux, du moins, de ceux qui savent ; et voilà, en vérité, la belle, la magnifique façon de louer ! Par malheur, je le vois bien, la façon de louer, je ne la connaissais pas, et, parce que je ne la connaissais pas, je me suis engagé envers vous à prononcer, moi aussi, un éloge à mon tour : promesse *de la langue,* par conséquent, mais non *de la conscience*[88] ! Adieu donc ! De fait, ce n'est plus là ma façon de célébrer une louange et, en effet, j'y serais impuissant. Nonobstant, s'il s'agit au contraire de choses vraies, j'accepte de les dire, si vous le souhaitez ; *(b)* de les dire, en m'en tenant à moi-même et non pour me mesurer à vos discours ; car je ne veux pas prêter à rire ! Vois donc, Phèdre, si besoin est encore d'un pareil discours ; si besoin est d'entendre dire sur Amour des vérités, alors que d'autre part vocabulaire et dispositions des phrases se-

ront tels que, d'aventure, ils me viendront à l'esprit ! »

II. DEUXIÈME PARTIE

« Sur ce, poursuivait Aristodème, Phèdre et les autres pressent Socrate de parler, et de la façon qu'il croira personnellement devoir s'exprimer : « Eh bien donc ! dit-il, permets-moi encore de poser à Agathon quelques petites questions, afin que, *(c)* une fois son adhésion obtenue, je sois ainsi désormais à même de parler. – Mais je te le permets ! réplique Phèdre. Allons ! interroge... »

PRÉPARATION DIALECTIQUE : SOCRATE ET AGATHON.

« Après quoi donc, d'après Aristodème, le point de départ de Socrate fut à peu près celui-ci : « Assurément, mon cher Agathon, ce fut pour ton discours un exorde excellent, d'avoir dit qu'il fallait tout d'abord exposer quelle est la nature d'Amour, et, par la suite, d'exposer quelles sont ses œuvres : voilà un début dont je suis tout à fait charmé ! Voyons un peu ! Puisque, par ailleurs, tu as expliqué *(d)* de façon belle et grandiose quelle est la nature d'Amour, dis-moi donc encore ceci à son sujet : Est-ce que la nature d'Amour est telle qu'il soit amour de quelque objet, ou n'est-il amour de rien ? Or, ce que je demande, ce n'est pas s'il est amour de telle mère ou de tel père, car ce serait une question ridicule de demander si Amour est amour de mère ou de père[89] ; mais il en est comme si, envisageant en elle-même cette notion : « le père », je demandais : Un père est-il, ou non, père de quelque chose ? sûrement tu me dirais, si tu avais l'intention de bien répondre, que « Père » est père d'un fils ou d'une fille ; n'est-ce pas ? – Hé ! oui, absolument ! dit Agathon. – Mais n'en est-il pas de même pour la notion de « Mère » ? » *(e)* Agathon en convint aussi. « Allons ! reprit Socrate, fais-moi encore un petit peu plus de réponses, afin que tu comprennes mieux ce que j'ai en vue. Si en effet je te demandais : « le Frère », ce que précisément cela est en soi-même, est-il, ou non, frère de quelque chose ? – Il l'est, répondit-il. – Or, c'est d'un frère ou d'une sœur ? » Agathon en convient. « Essaie alors, reprend Socrate, de répondre aussi à propos d'Amour : Amour est-il amour de rien ? ou bien de quelque chose ?

200 – Hé ! de quelque chose, absolument ! *(a)* –

« Eh bien ! voilà, dans ce cas, poursuivit Socrate, un point auquel tu dois veiller attentivement, gardant par devers toi souvenir de ce dont Amour est amour : tout ce que je te prie de me dire, c'est si ce dont Amour est amour, il en a envie ou non. – Absolument, oui ! dit Agathon. – Est-ce le fait de posséder ce dont il a envie et qu'il aime qui lui en donne ensuite envie et amour ? ou bien est-ce le fait de ne pas le posséder ? – Le fait de ne pas le posséder, répondit Agathon, ainsi que cela est au moins vraisemblable ! – Examine donc, reprit Socrate, si, à la place d'une vraisemblance, ce n'est pas ceci qui est forcé : qu'on a envie de ce dont on est dépourvu ; ou bien que, quand on n'en est pas dépourvu, *(b)* on n'en a pas envie ; c'est merveille en effet, Agathon, à quel point, dans mon idée, c'est une chose forcée ! – Dans mon idée aussi, déclara-t-il. – Parfait ! Donc, quelqu'un de grand souhaiterait-il être grand ? ou quelqu'un de fort, être fort ? – Impossible, en partant de ce dont nous sommes convenus ! – En effet, puisqu'il a ces qualités, il ne saurait, je suppose, en être dépourvu ! – En vérité ! – En effet, reprit Socrate, s'il arrivait à quelqu'un de fort de souhaiter être fort, à quelqu'un de rapide, de souhaiter être rapide, à quelqu'un de bien portant, de souhaiter être bien portant..., car peut-être se persuaderait-on que ces qualités-là et toutes les qualités analogues, *(c)* ceux qui sont tels que je disais, qui possèdent ces qualités, ont envie aussi des qualités mêmes qu'ils possèdent. Ce que je dis là en effet, c'est pour nous éviter de nous laisser duper. Car, si tu y réfléchis, Agathon, ces gens-là possèdent forcément, bon gré, mal gré, chacune de ces qualités dans le moment où ils la possèdent ; de celle-là au moins, qui d'entre eux, certes, pourrait en avoir envie ? Mais, quand il arrive à quelqu'un de dire : Moi qui suis bien portant, je souhaite aussi être bien portant ! Moi qui suis riche, je souhaite aussi être riche ! J'ai envie de cela même que j'ai ! A ce quidam, nous tiendrions ce langage : Toi, mon brave, *(d)* qui es en possession de la richesse, de la bonne santé, de la force, c'est pour l'avenir aussi que tu souhaites en être possesseur, car, au moins dans l'instant présent, ces avantages, tu les possèdes bon gré, mal gré ! Ainsi, lorsque tu dis avoir envie de ce que tu as présentement, demande-toi si tes paroles n'ont pas seulement cette signification-ci, que tu te souhaites avoir présents encore dans l'avenir, les biens qui te sont présents maintenant. Pourrait-il ne pas en convenir ? » Agathon approuva. « Mais, reprit alors Socrate, n'est-ce pas là justement aimer la chose dont on ne dispose pas encore, dont on n'a pas non plus la possession, que d'en souhaiter pour soi, dans l'avenir, *(e)* la conservation et la présence ? – Absolument, oui ! dit-il. – Ainsi donc, aussi bien cet homme-là que quiconque d'autre a envie de quelque chose, c'est de ce dont il ne dispose pas qu'il a envie, c'est de ce qui n'est pas présent ; et ce qu'il ne possède pas, ce que personnellement il n'est pas, ce dont il est dépourvu, voilà en gros de quelle sorte sont les objets de son envie, de son amour. – Oui, absolument ! dit-il. –

« Poursuivons donc, reprit Socrate, et récapitulons sur quels points, dans notre conversation, nous nous sommes accordés. En premier lieu, Amour n'est-il pas amour de quelque chose indéterminément ? en

second lieu, amour de ce dont, présente-
201 ment, il est dépourvu ? – *(a)* Oui, dit-il. – Là-dessus, rappelle-toi maintenant de quoi, dans ton discours, tu as dit qu'Amour est amour. Mais, si tu veux bien, c'est moi qui te le rappellerai. Voici en effet à peu près comment, je crois, tu t'es exprimé : les querelles des Dieux, disais-tu, ont été réglées grâce à l'amour des choses belles, car des choses laides il ne saurait y avoir amour. N'était-ce pas là, à peu près, ton langage ? – C'est en effet ce que j'ai dit ! répondit Agathon. – Voilà qui est bien, camarade ! repartit Socrate. Et, s'il en est bien ainsi, Amour doit n'être amour que de la beauté, mais non de la laideur ? » Agathon l'accorda. *(b)* « Or, ne nous sommes-nous pas là-dessus mis d'accord, que ce dont on est dépourvu et qu'on ne possède pas, c'est cela qu'on aime ? – Oui, répondit-il. – Donc Amour est dépourvu de la beauté, et il ne la possède pas. – Forcément ! dit-il. – Mais quoi ? Ce qui est dépourvu de beauté, ce qui, d'aucune façon, ne possède la beauté, est-ce que de cela tu dis, toi, que c'est beau ? – Non, certes ! – Après cela, supposé qu'il en soit ainsi de ces choses, accordes-tu donc encore qu'Amour soit beau ? – Il y a chance, re-

partit Agathon, que je n'aie rien compris à ce que je disais alors ! – Et pourtant, Agathon, *(c)* tu as, dit-il, magnifiquement parlé, certes ! Mais dis-moi encore une toute petite chose : ce qui est bon, n'est-il pas, en outre, beau, selon toi ? – Oui, selon moi. – Donc, si Amour est dépourvu des choses belles et que les choses bonnes soient belles, il doit être dépourvu aussi des choses bonnes. – Contre toi, Socrate, je ne serais pas, moi, capable de soutenir la controverse ! Allons ! mettons qu'il en soit comme tu dis ! – Non, repartit Socrate, non ! C'est contre la vérité, Agathon, mon bien-aimé, que tu n'es pas capable de soutenir la controverse ; car, contre Socrate au moins, cela n'offre aucune difficulté ! *(d)*

CONTINUATION FICTIVE DU DIALOGUE : DIOTIME.

« Aussi bien, toi, je vais maintenant te donner congé ! C'est le discours concernant Amour que j'entendis un jour de la bouche d'une femme de Mantinée, Diotime ; une femme qui était aussi savante là-dessus que sur quantité d'autres sujets et à laquelle les Athéniens ont dû, grâce à un sacrifice fait à un certain moment avant la peste[90], un répit de dix années ; c'est elle aussi justement qui m'a enseigné les choses d'amour. Donc le discours qu'elle me tenait, c'est lui que je vais essayer de vous exposer, en prenant pour point de départ ce dont nous sommes convenus avec Agathon : tout seul, par moi-même et comme je pourrai[91]. Il faut évidemment, Agathon, ainsi que tu l'as toi-même exposé, commencer *(e)* par expliquer au sujet d'Amour qui il est et quelle est sa nature, dire ensuite ses œuvres. Or, il est pour moi plus commode, me semble-t-il, de procéder de la façon dont procédait jadis l'Etrangère quand elle me soumettait à ses questions ; car ce que je lui disais était, à peu de chose près, la réplique de ce qu'à présent me disait Agathon : qu'Amour doit être un grand Dieu, qu'il doit être amour des choses belles ; et elle me réfutait exactement par ces arguments qui m'ont servi à moi pour réfuter Agathon : alléguant que, selon ma propre thèse, il ne devait être ni beau, ni bon.

« Que dis-tu là, Diotime ? m'écriais-je. A ce compte, Amour est-il donc laid et mauvais ? – Tu ne vas pas blasphémer ! fit-elle : t'imagines-tu que, quand une chose n'est pas

202 belle, elle doive forcément être laide ? *(a)* – Oui, parfaitement ! – Quand on n'est pas savant, forcément encore, ignorant ? Ou bien te rends-tu compte qu'il existe un intermédiaire entre science et ignorance ? – Quel est cet intermédiaire ? – Juger droit et sans être en état de rendre raison de ce jugement, ne sais-tu pas, dit-elle, que cela n'est, ni posséder le savoir, car comment une chose dont on ne rend pas raison pourrait-elle constituer un savoir ? ni ignorance, car comment ce à quoi il arrive de rencontrer la réalité constituerait-il une ignorance ? C'est en quelque chose de tel que consiste l'opinion droite : un intermédiaire entre sagesse et ignorance[92]. – Tu dis vrai ! repartis-je. *(b)* – Alors n'exige donc pas que ce qui n'est pas beau soit laid ; ni que ce qui n'est pas bon, soit mauvais. Or, il en est de même aussi pour Amour : puisque tu conviens toi-même qu'il n'est pas bon, pas beau non plus, ne va pas croire que cela l'oblige davantage à être laid et mauvais ; mais, conclut-elle, à être quelque chose d'intermédiaire entre les deux contraires. –

Nature intermédiaire de l'Amour.

« Et pourtant, repris-je, c'est une chose dont tout le monde en vérité convient, qu'Amour est un grand Dieu ! – Ce tout le monde dont tu parles, sont-ce, dit-elle, ceux qui savent, ou bien ceux qui ne savent pas ? – Tous en général, ma foi ! » Elle se mit à rire : « Comment, Socrate, *(c)* pourraient-ils convenir qu'il est un grand Dieu, ceux qui déclarent qu'il n'est même pas un Dieu ! – Ceux-là, qui est-ce ? – Tu en es un, toi, dit-elle, et moi, j'en suis une autre ! – Comment, dis-je, entends-tu cela ? – Très simplement ! répondit-elle. De tous les Dieux ne déclares-tu pas qu'ils sont heureux et beaux ? Ou bien y en a-t-il un parmi les Dieux, duquel tu aurais le front de nier qu'il soit beau et heureux ? – Pas moi, non, par Zeus ! m'écriai-je. – Or, n'appelles-tu pas heureux ceux qui précisément sont en possession des choses bonnes et des choses belles ? – Hé oui ! absolument. *(d)* – Il est certain pourtant qu'au moins en ce qui concerne Amour tu as accordé que c'est le manque des choses bonnes et belles qui lui fait désirer ces choses mêmes, desquelles il manque. – Effectivement, je l'ai accordé ! – Mais, comment pourrait-il être Dieu, l'être qui, en vérité, n'a point part aux choses belles et bonnes ? – Il ne le pourrait absolument pas, au moins à ce qu'il semble ! – Ainsi, tu le vois, dit-elle, toi aussi, tu ne tiens pas Amour pour un Dieu. – Que serait donc alors Amour ? dis-je : un mortel ? – Non ! pas le moins du monde ! – Mais quoi, enfin ? – Comme précédemment [93], un intermédiaire entre ce qui est mortel et ce qui est immortel ! –

L'Amour, démon, et le mythe de sa naissance.

« Dans ces conditions, qu'est-ce qu'il est, Diotime ? – Un grand Démon, Socrate ; *(e)* et, de fait, tout ce qui est démonique est intermédiaire entre ce qui est mortel et ce qui est immortel. – Avec quelle fonction ? demandai-je. – Celle de faire connaître et de transmettre aux Dieux ce qui vient des hommes, et aux hommes ce qui vient des Dieux : les prières et les sacrifices des premiers, les injonctions des seconds et leurs faveurs, en échange des sacrifices ; et, d'un autre côté, étant intermédiaire entre les uns et les autres, ce qui est démonique en est complémentaire, de façon à mettre le Tout en liaison avec lui-même[94]. C'est grâce à cette sorte d'être qu'ont pu venir au jour la Divination dans son ensemble, la science des

203 prêtres *(a)* touchant les choses qui ont rapport aux sacrifices, aux initiations, aux incantations, à la prédiction en général et à la magie. Le Dieu, quant à lui, ne se mêle pas à l'homme ; mais cependant, grâce à cette nature moyenne, c'est d'une façon complète que se réalise pour les Dieux la possibilité d'entrer en relation avec les hommes et de converser avec eux, soit pendant la veille, soit pendant le sommeil[95]. Enfin, celui qui est savant là-dessus est un homme démonique, tandis que celui qui est savant en tout autre domaine, en rapport, soit à une science spéciale, soit à un métier manuel, celui-là n'est qu'un artisan !

« Evidemment, ces Démons sont en grand nombre et très divers ; Amour est en outre l'un d'entre eux. – De quel père est-il fils, demandai-je, et de quelle mère ? – C'est, à vrai dire, répondit-elle, une bien longue histoire ; *(b)* je te la conterai néanmoins. Le jour où naquit Aphrodite, les Dieux, sache-le, donnaient un festin, et, parmi les convives, se trouvait Expédient, le fils d'Invention. Or, quand ils eurent dîné, comme ils avaient fait bombance, survint Pauvreté[96] dans le dessein de mendier, et elle se tenait contre la porte. Or Expédient qui, s'étant enivré de nectar (car on n'avait pas encore le vin !), était passé dans le jardin de Zeus, s'y endormit, alourdi par l'ivresse. Sur ce, Pénia, s'avisant, parce que pour elle il n'est rien d'expédient[97], d'avoir un petit enfant d'Expédient, *(c)* se couche à son côté, et voilà que d'Amour elle fut engrossée ! C'est aussi pour cette raison qu'Amour est devenu le compagnon et le serviteur d'Aphrodite : parce qu'il a été engendré pendant les fêtes de la naissance de celle-ci, et parce qu'en même temps, Aphrodite elle-même étant belle, c'est au beau que naturellement se rapporte son amour.

a) *Nature de l'amour.*

« Et maintenant, voici en quelle fortune Amour se trouve placé, en tant qu'il est fils d'Expédient et de Pauvreté. En premier lieu, toujours il est pauvre, et il s'en faut de beaucoup qu'il soit délicat et beau comme la plupart des gens se l'imaginent[98] ; *(d)* mais, bien plutôt, il est rude, malpropre ; un va-nu-pieds qui n'a point de domicile, toujours couchant à même la terre et sans couvertures, dormant à la belle étoile sur le pas des portes ou dans la rue ; tout cela parce que, ayant la nature de sa mère, il fait ménage avec l'indigence ! Mais, en revanche, conformément à la nature de son père, il guette, embusqué, les choses qui sont belles et celles qui sont bonnes, car il est vaillant, aventureux, tendant toutes ses forces ; chasseur habile, ourdissant sans cesse quelque ruse ; curieux de pensée et riche d'idées expédientes, passant toute sa vie à philosopher ; habile comme sorcier, comme inventeur de philtres magiques, comme sophiste. *(e)* De plus, sa nature n'est ni d'un immortel, ni d'un mortel ; mais, le même jour, tantôt, quand ses expédients ont réussi, il est en fleur, il a de la vie ; tantôt au contraire il est mourant ; puis, derechef, il revient à la vie grâce au naturel de son père, tandis que, d'autre part, coule de ses mains le fruit de ses expédients ! Ainsi, ni jamais Amour n'est indigent, ni jamais il n'est riche !

« Entre savoir et ignorance maintenant, Amour est intermédiaire. Voici ce qui en est.

204 *(a)* Parmi les Dieux, il n'y en a aucun qui s'emploie à philosopher, aucun qui ait envie de devenir rage, car il l'est ; ne s'emploie pas non plus à philosopher, quiconque d'autre est sage. Mais pas davantage, les ignorants ne s'emploient, de leur côté, à philosopher, et ils n'ont pas envie de devenir sages ; car ce qu'il y a précisément de fâcheux dans l'ignorance, c'est que quelqu'un, qui n'est pas un homme accompli et qui n'est pas non plus intelligent, se figure l'être dans la mesure voulue : c'est que celui qui ne croit pas être dépourvu n'a point envie de ce dont il ne croit pas avoir besoin d'être pourvu. – Quels sont donc alors, Diotime, m'écriai-je, ceux qui s'emploient à philosopher, si ce ne sont ni les sages, *(b)* ni les ignorants ? – La chose est claire, dit-elle, et même déjà pour un enfant ! Ce sont ceux qui sont intermédiaires entre ces deux extrêmes, et au nombre desquels doit aussi se trouver Amour. La sagesse en effet est évidemment parmi les plus belles choses, et c'est au beau qu'Amour rapporte son amour ; d'où il suit que, forcément, Amour est philosophe, et, étant philosophe, qu'il est intermédiaire entre le savant et l'ignorant. Or, la cause de la présence en lui de ces déterminations, c'est encore sa naissance : son père en effet est savant et bien pourvu d'expédients, tandis que sa mère n'est pas savante et en est dépourvue ! Voilà donc, cher Socrate, quelle est la nature de ce Démon. Quant à la conception que tu t'es faite d'Amour, *(c)* rien d'étonnant qu'elle se soit imposée à toi : Amour, si j'en juge par ce dont témoignent pour moi tes propres paroles, a été conçu par toi sur le type d'un aimé, non sur celui de quelqu'un qui aime ; c'est pour cette raison, je crois, qu'Amour était à tes yeux d'une beauté sans pareille. Et en effet, ce qui est aimable, c'est ce qui possède réellement beauté, délicatesse, perfection, béatitude, tandis que ce qui est aimant est d'une autre nature, de la nature que moi je t'ai expliquée. –

b) *Les effets de l'amour.*

« Poursuis donc, Etrangère ! dis-je alors ; car ce que tu dis est magnifique ! Puisque telle est la nature d'Amour, quels avantages procure-t-il aux hommes ? *(d)* – Voilà donc, dit-elle, ce que j'essaierai, Socrate, de t'enseigner. Il est acquis en effet que la nature d'Amour est ce que j'ai dit et que telle est sa naissance ; et, d'autre part, que c'est aux belles choses, ainsi que tu le déclares, que se rapporte son amour. Or, si l'on nous demandait : « Qu'est-ce, Socrate, et toi, Diotime, que l'amour des belles choses ? » Et, plus explicitement, de la façon que voici : « Il aime, celui qui est amant des belles choses : qu'aime-t-il ? » – Qu'elles deviennent siennes ! répondis-je. – La réponse, dit-elle, exige cependant une question dans le genre que voici : « Qu'en sera-t-il pour celui à qui il arrivera que les choses belles soient devenues siennes ? » – A cette question, lui dis-je, je ne suis pas encore, pour ma part, tout à fait à même de répondre commodément ! *(e)* – Fais cependant, dit-elle, comme si, en modifiant la question, on employait le bien à la place du beau et qu'on demandât : « Allons, Socrate ! il aime, celui qui est amant des choses bonnes : qu'aime-t-il ? » – Qu'elles deviennent siennes ! répondis-je. – « Et qu'en sera-t-il pour celui à qui il arrivera que les *205* choses bonnes soient devenues siennes ? » *(a)* – Voilà, dis-je, à quoi je serai plus à mon aise pour répondre ! Il sera heureux. – C'est en effet, dit-elle, par la possession des choses bonnes que les gens heureux sont heureux. Et il n'y a plus lieu à demander en outre : « En vue de quoi souhaite-t-il d'être heureux, celui qui le souhaite ? » Tout au contraire, c'est à un terme ultime que semble toucher la réponse en question. – C'est la vérité ! dis-je. –

« Or, ce souhait et cet amour, penses-tu qu'ils soient quelque chose de commun à tous les hommes et que tous souhaitent une perpétuelle possession des choses bonnes ? Serais-tu d'un autre avis ? – C'est aussi le mien, répondis-je : ils sont quelque chose de commun à tous les hommes. – Puisqu'il en est ainsi, dit-elle, *(b)* pourquoi, Socrate, de tous, ne disons-nous pas qu'ils aiment ? Oui, s'il est vrai que des mêmes choses ils soient tous et toujours amoureux ? pourquoi, au contraire, disons-nous de certains qu'ils sont amoureux, et ne le disons-nous pas de tels autres ? – Je ne suis pas, moi aussi, sans m'en étonner ! répliquai-je. – Eh bien ! dit-elle ; il ne faut pas que tu t'en étonnes. Après avoir en effet, tu le vois bien, mis à part une certaine forme d'amour, nous l'appelons amour, en lui attribuant le nom de l'ensemble ; tandis que, pour les autres formes, nous avons recours à d'autres dénominations. – Qu'y a-t-il de comparable ? demandai-je. – De comparable ? Voici. Tu sais fort bien quelle multiplicité de sens a l'idée de création. Sans nul doute en effet ce qui, pour quoi que ce soit, est cause de son passage de la non-existence à l'existence, est, dans tous les cas, une création ; *(c)* en sorte que toutes les opérations qui sont du domaine des arts sont des créations, et que sont créateurs tous les ouvriers de ces opérations. – Tu dis vrai ! – Cependant, tu sais fort bien, reprit-elle, que néanmoins on ne les appelle pas créateurs et qu'au contraire ils ont d'autres noms. Mais, de l'ensemble de la création, une partie ayant été séparée, cette unique partie qui a rapport à la musique et aux vers, c'est à elle qu'on applique le nom du tout ; car c'est elle seule, la poésie, qu'on nomme création, et ce sont les poètes, eux qui sont spécialisés dans cette partie de la création, qu'on appelle des créateurs. – Tu dis vrai ! fis-je. –

« Et maintenant, il en est de même aussi *(d)* dans le cas de l'amour. D'une façon générale, tout ce qui est désir des choses bonnes et du bonheur, c'est cela qu'est *Amour, aussi tout-puissant que rusé en toute chose.* Les uns cependant qui, de mainte façon différente, s'orientent vers lui, que ce soit dans le domaine des affaires ou dans celui d'un penchant, soit pour les exercices du corps, soit pour la culture de l'esprit[99], on ne dit pas d'eux qu'ils aiment, on ne les appelle pas des amoureux ; tandis que les autres, dont les démarches, dont le zèle s'ordonnent à une unique forme, ce sont eux qui retiennent le nom du tout, amour, eux dont on dit qu'ils aiment, qu'on appelle des amoureux. – Il se peut fort bien, dis-je, que tu sois dans le vrai ! – Sans doute, poursuivit-elle, il y a une doctrine *(e)* d'après laquelle ceux qui cherchent la moitié d'eux-mêmes, ce sont eux qui aiment[100]. Ma doctrine à moi affirme que l'amour n'est amour ni d'une moitié, ni d'un entier, à moins que de quelque manière, camarade, ils ne soient justement une chose bonne, puisque les gens acceptent, oui, qu'on leur coupe pied ou main, quand il leur arrive de juger nuisibles ces choses qui sont à eux ! Car ce à quoi vont les aspirations de chacun, ce n'est pas, je pense, à ce qui est à lui, à moins que ce ne soit le bon qu'on appelle propre et à soi, étranger au contraire, le

206 mauvais : *(a)* preuve que rien, en vérité, hormis le bon, n'est aimé des hommes ! Est-ce à leur sujet ton opinion ? – Oui, par Zeus ! m'écriai-je, quant à moi je n'en ai point d'autre ! – Mais, reprit-elle, est-ce comme cela, tout uniment, qu'on parle de l'amour des hommes pour ce qui est bon ? –

Oui, dis-je. – Eh quoi ? reprit-elle, ne faut-il pas ajouter qu'ils aiment que ce qui est bon soit à eux ? – Il faut l'ajouter. – Mais, dit-elle encore, non pas seulement qu'il soit à eux, mais qu'il soit à eux perpétuellement ? – Voilà ce qu'il faut encore ajouter. – En conséquence, conclut-elle, l'objet de l'amour, c'est, dans l'ensemble, la possession perpétuelle de ce qui est bon. – Rien de plus vrai, dis-je, que ce langage ! *(b)* –

Objet véritable de l'amour.

« Maintenant donc que c'est en cela que constamment consiste l'amour, dis-moi, continua-t-elle, quel est, chez ceux qui poursuivent cette fin, le genre d'existence, quel est le mode d'activité, pour lesquels à leur zèle, à leur effort soutenu, conviendrait le nom d'amour ; dis-moi en quoi peut bien consister cet acte. Es-tu à même de le dire ? – Alors, Diotime, répliquai-je, je ne serais pas en admiration devant ton savoir ! je ne fréquenterais pas chez toi pour me faire instruire justement là-dessus ! – Eh bien ! dit-elle, c'est moi qui vais te le révéler : c'est, sache-le, un enfantement dans la beauté, et selon le corps, et selon l'âme. – On a besoin d'être un devin, m'écriai-je, pour comprendre ce que cela peut bien vouloir dire, et je n'y comprends rien[101] ! *(c)* – Eh bien ! reprit-elle, je m'en vais t'en faire, moi, une révélation plus claire ! Chez tous les hommes, Socrate, poursuivit-elle, il y a, sache-le, une fécondité, et selon le corps, et selon l'âme ; de plus, une fois que nous avons atteint un certain âge, notre nature a le désir d'enfanter. Or, enfanter, elle ne le peut dans la laideur, tandis qu'elle le peut dans la beauté. L'union de l'homme et de la femme est en effet un enfantement, et c'est une affaire divine, c'est, dans le vivant mortel, la présence de ce qui est immortel : la fécondité et la procréation. Mais, dans ce qui n'est pas en harmonie, il est impossible qu'elles se produisent. *(d)* Or, il n'y a point harmonie de ce qui est laid avec tout ce qui est divin, tandis qu'il y a harmonie de ce qui est beau : ainsi, ce qui pour la génération, est Parque et Ilithye, c'est Beauté[102]. Pour ces raisons, toutes les fois qu'il arrive à l'être fécond de s'approcher d'un bel objet, il en ressent du bien-être, dans sa joie il s'épanche, il enfante, il procrée ; mais quand c'est d'une laideur, alors, d'un air sombre et chagrin, il se pelotonne, il se détourne, il se replie sur lui-même, et, au lieu de procréer, il garde sa fécondité, il en porte douloureusement le poids. C'est de là justement qu'est issue, chez l'être fécond et déjà tout gonflé de son fruit, la passion dont il est transporté *(e)* au voisinage du bel objet, du fait qu'ainsi se libère de cruelles douleurs d'enfantement celui qui en est le sujet. En effet, dit-elle, l'objet de l'amour, Socrate, ce n'est pas, comme tu l'imagines, le beau... – Eh bien! qu'est-ce en vérité? – C'est la procréation et l'enfantement dans la beauté. – Pas possible! m'écriai-je. – Hé oui! absolument! répliqua-t-elle. Mais pourquoi, précisément, 207 la procréation? *(a)* Parce que la procréation, c'est ce que peut comporter d'éternel et d'impérissable un être mortel. Or le désir de l'immortalité, d'après ce dont nous sommes convenus, va forcément de pair avec le désir de ce qui est bon, s'il est vrai que l'objet de l'amour soit la possession perpétuelle de ce qui est bon. Ainsi donc, d'après ce raisonnement, l'objet de l'amour c'est aussi, forcément, l'immortalité. »

Le désir de l'immortalité.

« Voilà donc tout ce qu'elle m'enseignait chaque fois qu'elle discourait sur les choses d'amour, lorsqu'un jour elle me posa cette question : « Quelle est, selon toi, Socrate, la cause de cet amour et de ce désir ? Ne te rends-tu pas compte de l'état extraordinaire où sont toutes les bêtes quand l'envie les prend de procréer ? *(b)* celles qui marchent aussi bien que celles qui volent ? toutes malades, et malades de cet état amoureux ? par rapport, en premier lieu, à leurs copulations mutuelles, par rapport ensuite à l'élevage de la progéniture ? prêtes pour celle-ci à se battre, même les plus faibles contre les plus fortes, en faisant le sacrifice de leur vie ? à endurer elles-mêmes les tortures de la faim pour assurer la subsistance de leurs petits, sans parler de tout ce qu'elles font encore ? Quand en effet il s'agit des hommes, on pourrait croire, dit-elle, que ces actes leur sont inspirés par la réflexion ; mais quelle est la cause chez les bêtes *(c)* de pareils états amoureux ? Es-tu à même de me la dire ? » Comme j'avouais que, pour ma part, je ne la connaissais pas, elle reprit :

« Alors, tu as l'idée que, n'ayant pas idée de cela, tu finiras par être un jour passé maître sur les choses d'amour ? – Mais c'est précisément pour cela, Diotime, et c'est ce que je te disais tout à l'heure, que je me suis rendu près de toi, ayant conscience d'avoir besoin de maîtres ! Allons ! dis-moi quelle est la cause de ces états et de tous les autres faits intéressant les choses d'amour ! – Eh bien ! dit-elle, si tu crois fermement que l'objet de l'amour est celui-là même sur lequel nous nous sommes, *(d)* à maintes reprises, mis d'accord, ne t'émerveille pas à ce propos ! Dans ce cas, en effet, en vertu du même raisonnement que tout à l'heure, la nature mortelle cherche, dans la mesure où elle le peut, à se donner perpétuité, immortalité.

« Or, elle le peut seulement par ce moyen, par la génération, vu que celle-ci, à la place de l'être ancien, en laisse toujours un nouveau qui est un autre être. En effet, même dans ce qu'on appelle la vie individuelle de chaque vivant et dans son identité[103] (c'est ainsi que, depuis sa petite enfance jusqu'à ce qu'il soit devenu vieux, on dit qu'il est la même personne), oui, cet être-là, quoiqu'en lui il n'ait jamais les mêmes choses, on l'appelle néanmoins le même, et cependant, tout en faisant des pertes, il se renouvelle incessamment, *(e)* dans sa chevelure, dans sa chair, dans ses os, dans son sang et, d'une façon générale, dans tout son corps. Et ce n'est pas seulement dans son corps, mais ce sont aussi, selon l'âme, ses manières d'être, son caractère, ses opinions, ses désirs, ses joies et ses peines, ses craintes, c'est chacun de ces éléments qui, pour chacun de nous, ne se présente jamais identique à ce qu'il était ; il y en a, au contraire, qui viennent à l'existence ; il y en a d'autres qui se perdent. Or, ce qu'il y a de plus déconcertant encore

208 que tout cela, *(a)* c'est que, même en ce qui concerne les connaissances, non seulement il y en ait qui viennent pour nous à l'existence, et d'autres qui se perdent, et que nous ne soyons jamais non plus les mêmes dans l'ordre de nos connaissances, mais c'est aussi que chacune des connaissances subit elle-même un sort identique ! Ce qu'on appelle en effet étudier implique une évasion de la connaissance ; car l'oubli, c'est une connaissance qui s'évade, tandis qu'inversement l'étude, remplaçant la connaissance qui s'en va par un souvenir[104] tout neuf, sauvegarde si bien la connaissance qu'on la juge être la même! C'est de cette façon, sache-le, qu'est sauvegardé tout ce qui est mortel; non point, comme ce qui est divin, par l'identité absolue d'une existence éternelle, *(b)* mais par le fait que ce qui s'en va, miné par son ancienneté, laisse après lui autre chose, du nouveau qui est pareil à ce qu'il était. C'est par ce moyen, dit-elle, que ce qui est mortel, Socrate, participe à l'immortalité, dans son corps et en tout le reste. Quant à ce qui est immortel, c'est par un autre moyen[105]. Donc, ne t'émerveille pas que ce qui est une repousse de lui-même, chaque être ait pour lui tant de sollicitude naturelle, car c'est en vue de l'immortalité que font cortège à chacun d'eux ce zèle et cet amour! »

« Et moi, d'entendre ainsi parler, je fus émerveillé: « Grands Dieux! m'écriai-je: est-ce qu'il en est de cela, très savante Diotime, véritablement ainsi? » *(c)* Elle alors, pareille aux princes de la Science[106]: « N'en doute point, Socrate! dit-elle. Car justement les hommes eux-mêmes, si sur leur ambition tu consens à porter ton regard, tu seras confondu de son absurdité; à moins que tu ne réfléchisses à ce que je t'ai dit et que tu ne médites sur l'étrange état où les met l'amour de la renommée, le désir de *se ménager pour l'éternité du temps une gloire immortelle*[107]. Pour cette fin, ils sont prêts à courir tous les périls les plus périlleux, plus encore que pour leurs enfants, *(d)* à dépenser leurs biens, à endurer de dures fatigues quelles qu'elles soient, à mourir pour l'atteindre[108] ! Car penses-tu, dit-elle, qu'Alceste aurait voulu mourir pour Admète, Achille mourir aussitôt après Patrocle, votre Codros devancer la mort pour assurer le trône à ses descendants, s'ils n'avaient pensé qu'un immortel souvenir, celui que nous leur gardons aujourd'hui, leur appartiendrait personnellement, en considération de leur mérite ? Il s'en faut de beaucoup ! conclut-elle ; bien au contraire, c'est pour que leur mérite ne meure pas, c'est pour un tel glorieux renom, que tous les hommes font tout ce qu'ils font, et cela d'autant plus que meilleurs ils sont. *(e)* C'est que l'immortalité est l'objet de leur amour ! Cela étant, dit-elle, ceux qui sont féconds selon le corps se tournent plutôt vers les femmes, et leur façon d'être amoureux c'est, en engendrant des enfants, de se procurer à eux-mêmes, pensent-ils, pour toute la suite des temps, le bonheur d'avoir un nom dont le souvenir ne

209 périsse pas. *(a)* Quant à ceux qui sont féconds selon l'âme..., car en fait, il en existe, dit-elle, dont la fécondité réside dans l'âme, à plus haut degré encore que dans le corps, pour tout ce dont il appartient à une âme d'être féconde et qu'il lui appartient d'enfanter. Or, qu'est-ce, cela qui lui appartient ? C'est la pensée, c'est toute autre excellence ! De ces hommes, féconds selon l'âme[109], sont précisément tous les poètes qui sont à cet égard générateurs, et, parmi les praticiens des arts, tous ceux dont on dit qu'ils sont inventeurs.

« Mais, continua-t-elle, de beaucoup la plus considérable et la plus belle manifestation de la pensée est celle qui concerne l'ordonnance des Etats comme de tout établissement, et dont le nom, on le sait, est tempérance aussi bien que justice. *(b)* Or, parmi ces hommes maintenant, quand il s'en trouve un qui, être divin, est, dès sa jeunesse, fécond selon l'âme et quand, l'âge venu, il aspire à désormais enfanter et procréer, celui-là, je crois, cherche alors, et de tous côtés, le bel objet dans lequel il pourra procréer, car dans la laideur il ne procréera jamais. Aussi s'attache-t-il, en tant qu'il est fécond, aux corps qui sont beaux plutôt qu'à ceux qui sont laids, et, s'il y rencontre une âme belle, noble, bien née, alors il a pour cet ensemble un extrême attachement ; en présence d'un tel homme, il abonde tout aussitôt en discours sur la vertu *(c)* et qui ont pour objet ce qu'il faut que soit l'homme qui est un homme de bien, ce à quoi il doit s'employer : il entreprend d'être éducateur. Au contact en effet, je crois, du bel objet et dans sa société, ce dont il était de longue date fécond, il l'enfante, il le procrée ; présent comme absent, il y pense ; ce qu'il a procréé, il le nourrit en commun avec le bel objet en question. Par suite, une communauté beaucoup plus puissante que celle dont nous sommes unis à nos enfants, voilà celle que, les uns à l'égard des autres, possèdent de tels hommes, jointe à une plus solide amitié, attendu que la communauté qu'ils ont fondée les unit à de plus beaux, à de plus immortels enfants[110]. *(d)* J'ajoute que de tels enfants, chacun accepterait qu'ils lui fussent nés, plutôt que ceux de l'humaine génération : quand, tournant son regard vers Homère, vers Hésiode, vers d'autres grands poètes, il les envie de laisser d'eux-mêmes, derrière eux, une semblable progéniture, qui, possédant l'immortalité de la gloire et du souvenir, confère aux poètes en question une semblable immortalité ; quand, dit-elle, il envie si tu veux, Lycurgue, d'avoir laissé après lui, installés dans Lacédémone, de semblables enfants, sauvegarde de Lacédémone, et, pour bien dire, de la Grèce[111] ; chez vous, c'est aussi Solon, qui est vénéré en raison des lois dont il eut la paternité ; *(e)* ailleurs, en mainte région, d'autres hommes encore, et chez les Grecs et chez les Barbares, grâce auxquels maint bel ouvrage a vu le jour et générateurs de formes variées d'excellence. Déjà, nombre de sanctuaires leur ont été consacrés pour avoir laissé de tels enfants, tandis que ceux de l'humaine génération n'en ont encore valu à personne !

L'initiation et ses degrés.

« Or ces mystères d'amour, Socrate, ce

210 sont ceux auxquels, sans doute, *(a)* tu pourrais être toi-même initié. Quant aux derniers mystères et à la révélation[112], qui, à condition qu'on en suive droitement les degrés, sont le but de ces premières démarches, je ne sais si tu es capable de les recevoir. Je te les expliquerai néanmoins, dit-elle : pour ce qui est de moi, je ne ménagerai rien de mon zèle ; essaie, toi, de me suivre, si tu en es capable ! Il faut, sache-le, quand on va droitement à cette fin, que, dès la jeunesse, on commence par aller à la beauté physique, et, tout d'abord, si droite est la direction donnée par le dirigeant de l'initiation, par n'aimer qu'un unique beau corps, et par engendrer à cette occasion de beaux discours. Mais ensuite il lui faut comprendre que *(b)* la beauté résidant en tel ou tel corps est sœur de la beauté qui réside en un autre, et que, si l'on doit poursuivre le beau dans une forme sensible, ce serait une insigne déraison de ne pas juger une et la même la beauté qui réside en tous les corps : réflexion qui devra faire de lui un amant de tous les beaux corps et détendre d'autre part l'impétuosité de son amour à l'égard d'un seul individu ; car un tel amour, il en est venu à le dédaigner et à en faire peu de cas. En suite de quoi[113], c'est la beauté résidant dans les âmes, qu'il juge d'un plus haut prix que celle qui réside dans le corps ; au point que, si la beauté qui convient à l'âme existe *(c)* dans un corps dont la fleur a peu d'éclat, il se satisfait d'aimer un tel être, de prendre soin de lui, d'enfanter pour lui des discours appropriés, d'en chercher qui soient de nature à rendre la jeunesse meilleure ; de façon à être forcé de considérer cette fois[114] le beau dans les occupations et les maximes de conduite ; et, d'avoir aperçu quelle parenté unit à soi-même tout cela, cela le mène à faire peu de cas du beau qui se rapporte au corps. Mais, après les occupations[115], son guide le conduit aux connaissances, afin, cette fois, qu'il aperçoive quelle beauté il y a dans les connaissances et que, tournant son regard vers le domaine, déjà vaste, du beau, *(d)* il n'ait plus, pareil au domestique d'un unique maître, un attachement exclusif à la beauté, ni d'un unique jouvenceau, ni d'une occupation unique, servitude qui ferait de lui un pauvre être et un esprit étroit ; mais afin que, au contraire, tourné vers cet océan immense du beau et le contemplant, il enfante en grand nombre de beaux, de sublimes discours, ainsi que des pensées inspirées par un amour sans bornes pour la sagesse ; jusqu'au moment où la force et le développement qu'il y aura trouvés, lui permettront d'apercevoir une certaine connaissance unique, dont la nature est d'être la connaissance de cette beauté dont je vais maintenant te parler. *(e)*

La révélation suprême : le Beau absolu.

« Efforce-toi, reprit-elle, de me prêter ton attention le plus que tu en seras capable. Celui qui en effet, sur la voie de l'instruction amoureuse, aura été par son guide mené jusque-là, contemplant les beaux objets dans l'ordre correct de leur gradation, celui-là aura la soudaine vision d'une beauté dont la nature est merveilleuse ; beauté en vue justement de laquelle s'étaient déployés, Socrate, tous nos efforts antérieurs : *(a)* beauté dont, premièrement, l'existence est éternelle, étrangère à la génération comme à la corruption, à l'accroissement comme au décroissement ; qui, en second lieu, n'est pas belle à ce point de vue et laide à cet autre, pas davantage à tel moment et non à tel autre, ni non plus belle en comparaison avec ceci, laide en comparaison avec cela, ni non plus belle en tel lieu, laide en tel autre, en tant que belle pour certains hommes, laide pour certains autres ; pas davantage encore cette beauté ne se montrera à lui pourvue

211

par exemple d'un visage, ni de mains, ni de quoi que ce soit d'autre qui soit une partie du corps ; ni non plus sous l'aspect de quelque raisonnement ou encore de quelque connaissance ; pas davantage comme ayant en quelque être distinct quelque part son existence, *(b)* en un vivant par exemple, qu'il soit de la terre ou du ciel[116], ou bien en quoi que ce soit d'autre ; mais bien plutôt elle se montrera à lui en elle-même et par elle-même, éternellement unie à elle-même dans l'unicité de sa nature formelle, tandis que les autres beaux objets participent tous de la nature dont il s'agit en une telle façon que, ces autres objets venant à l'existence ou cessant d'exister, il n'en résulte dans la réalité dont il s'agit aucune augmentation, aucune diminution, ni non plus aucune sorte d'altération. Quand donc, en partant des choses d'ici-bas, en recourant, pour s'élever, à une droite pratique de l'amour des jeunes gens, on a commencé d'apercevoir cette sublime beauté, alors on a presque atteint le terme de l'ascension. Voilà quelle est en effet la droite méthode pour accéder de soi-même aux choses de l'amour *(c)* ou pour y être conduit par un autre : c'est, prenant son point de départ dans les beautés d'ici-bas avec, pour but, cette beauté surnaturelle, de s'élever sans arrêt, comme au moyen d'échelons : partant d'un seul beau corps de s'élever à deux, et, partant de deux de s'élever à la beauté des corps universellement ; puis, partant des beaux corps, de s'élever aux belles occupations ; et, partant des belles occupations, de s'élever aux belles sciences, jusqu'à ce que, partant des sciences, on parvienne, pour finir, à cette science sublime, qui n'est science de rien d'autre que de ce beau surnaturel tout seul, et qu'ainsi, à la fin, on connaisse, isolément, l'essence même du beau.

(d) « C'est à ce point de l'existence, mon cher Socrate, dit l'étrangère de Mantinée, que, plus que partout ailleurs, la vie pour un homme vaut d'être vécue, quand il contemple le beau en lui-même ! Qu'il t'arrive un jour de le voir, tu seras d'avis que ni l'or ou la toilette, ni la beauté des jeunes garçons ou des jeunes hommes ne peuvent entrer en parallèle avec lui ; oui, cette beauté, dont la vue à présent te bouleverse et pour laquelle tu es prêt, toi et beaucoup d'autres, quand vous voyez vos bien-aimés et que vous êtes avec eux, à vous passer, si c'était possible, de manger et de boire, pourvu seulement que

vous les contempliez et que vous soyez avec eux ! Comment donc concevoir dès lors, poursuivit-elle, l'état d'un homme *(e)* qui aurait réussi à voir le beau en lui-même, dans son intégrité, dans sa pureté, sans mélange ; qui, au lieu d'un beau que souillent des chairs, des couleurs humaines, une foule d'autres balivernes mortelles, serait au contraire capable d'apercevoir, en lui-même, le beau divin dans l'unicité de sa nature formelle ? *(a)* Conçois-tu, dit-elle, que ce serait une vie misérable, celle de l'homme dont le regard se porte vers ce but sublime ; qui, au moyen de ce qu'il faut [117], contemple ce sublime objet et s'unit à lui ? Ne réfléchis-tu pas, ajouta-t-elle, que c'est là seulement qu'il réussira, en voyant le beau au moyen de ce par quoi il est visible, à enfanter, non pas des simulacres de vertu, car ce n'est pas avec un simulacre qu'il est en contact, mais une vertu authentique, puisque ce contact existe avec le réel authentique ? Or, à qui a enfanté, à qui a nourri une authentique vertu, n'appartient-il pas de devenir cher à la Divinité ? et n'est-ce à celui-là, plus qu'à personne au monde, qu'il appartient de se rendre immortel ? »

212

(b) « Voilà donc, Phèdre et vous autres, ce que disait Diotime et ce dont elle m'a convaincu. La conviction qu'elle m'a donnée me fait essayer de convaincre aussi les autres que, pour aider l'humaine nature à acquérir ce bien, difficilement on trouverait un meilleur auxiliaire qu'Amour. Aussi est-ce, dès lors, mon opinion, je le déclare, que c'est pour tout homme une obligation de vénérer Amour et, pour moi personnellement, les choses d'amour sont un objet de vénération, une matière toute spéciale d'exercice que je recommande aussi à autrui : autrement dit, les louanges d'Amour, de son pouvoir et de sa vaillance, je les célèbre, et maintenant, et en tout temps. *(c)* Ainsi donc ce langage[118], Phèdre, admets, si tu veux bien, qu'il ait constitué une célébration des louanges d'Amour. Mais, si tu ne veux pas, quel que soit le nom dont il te plaise de le caractériser, ce nom donne-le-lui ! »

III. TROISIÈME PARTIE

« Sur ces mots de Socrate, tandis que les uns louaient son langage, Aristophane essayait de prendre la parole : Socrate avait, en parlant, fait une allusion à son discours ; quand, soudain, on frappa à la porte de la cour, d'où provenait un grand bruit : de bambocheurs semblait-il, auquel se mêlait la voix d'une joueuse de flûte. *(d)* Là-dessus Agathon : « Esclaves, dit-il, n'irez-vous pas voir ce que c'est ! Au cas où il s'agirait d'un de mes familiers, priez-le d'entrer. Dans le cas contraire, dites que nous ne buvons pas, mais que déjà nous dormons ! »

ALCIBIADE.

« Il ne s'écoula pas bien longtemps ensuite sans que l'on entendît dans la cour la voix d'Alcibiade[119], complètement ivre et demandant, à grands cris, où était Agathon, exigeant d'être mené auprès d'Agathon ! On le mene alors auprès des convives, soutenu par la joueuse de flûte et par quelques-uns de ses compagnons ; le voici à la porte de la salle, *(e)* le front couronné d'une espèce de couronne épaisse, faite de lierre et de violettes, et la tête portant des bandelettes à profusion : « Amis, dit-il, je vous souhaite le bonsoir ! Un homme ivre, et qui l'est tout à fait pleinement, accueillerez-vous sa compagnie, pour qu'il boive avec vous ? ou bien faut-il que nous nous en allions, après avoir seulement enguirlandé Agathon, pour qui précisément nous sommes venus ? Hier en effet, dit-il, je m'étais, bien sûr ! trouvé dans l'impossibilité de venir ; mais, à présent, me voici ! avec sur la tête ces bandelettes, dans le dessein de les retirer de ma tête à moi, pour en enguirlander la tête du plus savant et du plus beau, à qui je donne ainsi ses titres[120] ! Est-ce que vous allez vous mettre à rire, sous prétexte que de moi ce sont

213 propos d'ivrogne ? *(a)* Mais vous avez beau rire, je sais fort bien que je dis la vérité ! Allons ! pressez-vous de me répondre : qu'est-ce qui est convenu ? faut-il, ou non, que j'entre ? boirez-vous avec moi, ou non ? » Là-dessus tous d'applaudir, tous de l'inviter à entrer et à prendre place sur un lit.

« Agathon l'appelle alors ; et le voilà qui s'avance, mené par les gens de sa compagnie, retirant en même temps ses bandelettes en vue de l'enguirlandage projeté ! Comme il les avait devant les yeux, il n'aperçoit pas Socrate et, tout au contraire, il va s'asseoir auprès d'Agathon, entre celui-ci et Socrate ; *(b)* car ce dernier s'était écarté pour permettre à Agathon de le faire asseoir. Une fois qu'il est assis, il embrasse Agathon et le ceint des guirlandes : « Esclaves, dit alors Agathon, déchaussez Alcibiade, pour qu'il s'installe en tiers avec nous... — Parfait ! dit Alcibiade ; mais qui avons-nous donc ici pour troisième compagnon de beuverie ? » Ce disant, il se retourne et voit Socrate. A sa vue, il bondit en arrière : « Par Hercule ! qu'est-ce que cela ? Socrate ici ! *(c)* C'est encore pour me prendre au piège que tu t'es installé là, avec ta façon ordinaire de te montrer soudain, là où, moi, je pensais le moins devoir te trouver ! A cette heure, qu'es-tu venu faire ici ? Et pourquoi, encore, est-ce sur ce lit que tu as pris place ? Car ce n'est pas, bien sûr, auprès d'Aristophane, pas davantage auprès de tout autre individu réellement grotesque, ou souhaitant de l'être ! Mais tu as employé tous les moyens pour t'installer auprès du plus beau de ceux qui sont ici ! –

« Agathon, dit alors Socrate, vois si tu ne vas pas prendre ma défense, car ce n'est pas devenu pour moi une petite affaire, l'amour de cet homme-là ! Depuis le temps en effet que je me suis amouraché de ce gaillard, *(d)* il ne m'est plus permis, ni de porter mes regards sur un seul beau garçon, ni d'avoir conversation avec aucun, sans que la jalousie du personnage à mon égard, sans que ses interdictions lui inspirent des actes inimaginables, des outrages, à peine se retenant de porter sur moi la main ! Vois donc qu'il n'aille pas, maintenant même, se livrer à quelque action de ce genre ! Fais plutôt entre nous un arrangement ; ou bien, s'il essaie de la violence, sois mon défenseur : la fureur de cet homme-là, vois-tu, ne me fait pas frémir d'effroi moins que sa passion amoureuse ! – Ah ! mais non ! s'écria Alcibiade : entre toi et moi, point d'arrangement ! Une autre fois, je te punirai de ce que tu viens de dire ; mais, pour aujourd'hui, continua-t-il, *(e)* passe-moi, Agathon, de tes bandelettes, que j'enguirlande aussi la tête du personnage, cette tête extraordinaire, par peur de l'entendre me reprocher de t'avoir, à toi, mis les guirlandes, et, pour lui, vainqueur de tout le monde par sa parole, et pas seulement comme toi avant-hier, mais en tout temps, pour lui de n'avoir plus eu de guirlande ! » Et aussitôt, prenant quelques bandelettes, il en fait à Socrate une guirlande, puis s'étend sur le lit. Une fois étendu : « Or ça ! dit-il, je vous trouve, mes gaillards, bien sobres en effet ! Voyons ! il ne faut pas vous abandonner : il s'agit au contraire de boire ! car c'est de cela que nous sommes convenus... En conséquence, pour présider la beuverie, c'est moi-même que je choisis, oui, jusqu'à temps que vous buviez comme il convient ! Allons ! qu'on apporte, Agathon, une grande coupe, s'il y en a... ou plutôt non, pas besoin ! mais, dit-il, apporte-moi, esclave, le seau à rafraîchir que

214 voilà ! » *(a)* Il l'avait vu, et c'était un seau qui contenait plus de huit cotyles[121]. Quand celui-ci eut été rempli, il le vida le premier ; puis ce fut pour Socrate qu'il y fit verser le vin, disant en même temps : « A l'égard de Socrate, ce n'est de ma part, bonnes gens, le moindre traquenard ; car, autant on lui dirait d'en boire, autant il en viderait, sans en être jamais plus ivre ! »

Nouveau programme.

« Une fois le vin versé par l'esclave, voilà donc que Socrate se met à boire ; sur quoi Eryximaque : « Alors, Alcibiade, est-ce là, dit-il, le parti que nous prenons ? *(b)* Ainsi, nous ne disons rien, la coupe à la main ? nous ne chantons rien ? mais tout bonnement, nous allons boire comme si nous étions des gens qui ont soif ? – Eryximaque, répondit à cela Alcibiade, fils excellent d'un père excellent et très tempérant[122], bien le bonsoir ! – Bonsoir aussi ! dit Eryximaque ; mais enfin quel parti devons-nous prendre ? – Celui que tu pourras bien nous prescrire ! Car il faut qu'on t'obéisse : *à lui seul, en effet, un médecin vaut un grand nombre d'autres hommes*[123]. Fais donc telle ordonnance que tu voudras ! – Eh bien ! écoute-moi, dit Eryximaque. Avant ton arrivée, nous avons décidé que, en allant vers la droite, *(c)* chacun de nous à son rang prononcerait un discours sur Amour, le plus beau qu'il pourrait et qu'il en célébrerait les louanges. Or, nous autres, nous avons tous parlé. Quant à toi, puisque tu n'as pas parlé et que tu as fini de boire, il est juste que tu parles et, quand tu auras parlé, que tu prescrives à Socrate ce que tu pourras bien vouloir, puis celui-ci à celui qui est à sa droite, et pareillement les autres. – Ma foi ! Eryximaque, répliqua Alcibiade, voilà qui est bien dit ! Mais les propos d'un ivrogne et ceux de gens sobres comme vous êtes, impossible de les mettre en parallèle à égalité ! *(d)* Et en même temps, bienheureux Eryximaque, est-ce que tu crois rien de ce que tout à l'heure a dit Socrate ? Sais-tu bien que c'est tout le contraire de ce qu'il disait ? Cet homme-là, vois-tu, s'il m'arrive de vouloir louer quelqu'un, lui présent, que ce soit un Dieu ou bien un homme autre que lui, il ne se retiendra pas de porter sur moi la main ! – Ne vas-tu point, proteste Socrate, finir tes calomnies ! – Par Poseïdôn ! s'écrie Alcibiade, je te défends de protester ; comme s'il n'était pas vrai que, toi présent, je ne pourrais louer personne d'autre ! – Eh bien ! justement, intervient Eryximaque, voilà de quelle façon, s'il te plaît, tu dois t'y prendre : loue Socrate ! – Que dis-tu ? s'écrie Alcibiade : *(e)* tu estimes, Eryximaque, qu'il me faut... ? Tu veux que je m'attaque à cet homme, que, face à vous, je lui inflige sa punition ?... – Holà, quelle est ton intention, mon garçon ? est-ce en caricature que tu vas faire mon éloge ? comment comptes-tu procéder ? – Je dirai la vérité : vois seulement si tu me le permets ! – Mais bien certainement ! riposte Socrate : la vérité au moins, je te la permets et je t'enjoins de la dire. – Je ne saurais m'en faire faute ! répond Alcibiade. Quant à toi, voici ce que tu dois faire : s'il m'arrive de dire quelque chose qui ne soit pas vrai, interromps à ton gré mon discours, en disant : Mensonge que ceci ! Mais intention de mentir, il n'y en a

215 en effet aucune chez moi ! *(a)* S'il m'arrive, cependant, en rappelant mes souvenirs, de passer d'une chose à l'autre en ce que je dirai, ne t'en étonne nullement ! C'est qu'il n'est guère facile, dans l'état où je suis, de faire commodément et avec méthode un inventaire détaillé de tes excentricités !

L'éloge de Socrate par Alcibiade.

« Or, messeigneurs, cet éloge de Socrate, voici comment je m'y prendrai pour le faire : en recourant à des images. Aussi bien mon homme va-t-il croire probablement que c'est dans une intention de caricature ; mais ce sera la vérité, non la bouffonnerie que se proposeront mes images. C'est ainsi que, je le déclare, il ressemble on ne peut plus à ces Silènes[124] que les sculpteurs exposent dans leurs ateliers, *(b)* dans la bouche desquels ces artistes mettent un pipeau ou une flûte, et qui, si on les ouvre par le milieu, montrent dans leur intérieur des figurines de Dieux. Mais il ressemble encore, je le déclare, au satyre Marsyas. Oui, au moins par ton aspect, tu leur ressembles, Socrate : toi-même, tu ne le contesterais pas, je pense ! Que d'ailleurs, pour le reste aussi, tu sois pareil à eux, écoute ce qui suit. Tu as leur insolence... Non ? Si tu n'en conviens pas, sache-le, je produirai mes témoins ! Mais, diras-tu, je ne joue pas de la flûte ! En vérité, tu es un flûtiste, infiniment plus extraordinaire que celui dont j'ai parlé[125] ! *(c)* Lui, c'était au moyen d'instruments qu'il charmait les hommes, grâce au talent qui procédait de sa bouche ; et, aujourd'hui encore quiconque joue ses airs de flûte ; car ceux que, sur la flûte, jouait Olympe, je dis qu'ils sont de Marsyas, qui les lui a enseignés[126]. Les airs de ce dernier, donc, qu'ils soient joués par un grand flûtiste ou bien par une pauvre joueuse de flûte, sont seuls à mettre en état de possession, et, parce qu'ils sont divins, à manifester ceux qui ont besoin des Dieux, comme de leurs initiations. Or, entre celui-ci et toi, toute la différence, c'est seulement que, sans instruments, avec des paroles sans musique, tu produis ce même effet ! *(d)* Toujours est-il que nous, quand nous entendons parler quelqu'un d'autre, fût-ce un excellent orateur, ces autres discours laissent totalement indifférent, si je puis dire, tout le monde ; tandis que, lorsqu'on t'entend, ou qu'on entend tes propos rapportés par un autre, celui qui les rapporte fût-il un fort pauvre sire, l'auditeur fût-il une femme, fût-il un homme, fût-il un jouvenceau, nous en éprouvons un trouble profond : nous sommes possédés !

« Moi en tout cas, messeigneurs, si je ne devais ainsi me faire juger ivre à souhait, je vous dirais, sous la foi du serment, quelle impression ont faite, sur moi personnellement, les propos de cet homme ; quelle impression j'en ressens encore, même à présent ! *(e)* Quand je l'entends, le cœur me bat bien plus qu'aux corybantes[127] dans leurs pratiques ; ses propos, oui, ceux de cet homme-là, m'arrachent des larmes, et je vois quantité d'autres personnes ressentir les

mêmes émotions ! Or, en écoutant Périclès et d'autres bons orateurs, je les estimais sans doute éloquents, mais je ne ressentais rien de semblable ; mon âme n'en éprouvait point de trouble non plus ; elle ne s'irritait pas non plus de penser à la servitude de ma condition. Au contraire, le Marsyas que voici,
216 maintes fois même, *(a)* m'a mis en de tels états que l'existence, je la jugeais impossible si je me comportais comme je me comporte. Et cela, Socrate, tu ne diras pas que ce n'est pas vrai ! Même à présent, j'ai conscience encore que, si je consentais à lui prêter l'oreille, je serais sans résistance ; que, bien plutôt, je ressentirais les mêmes émotions ! Il me force en effet à en convenir : il y a une foule de choses dont personnellement je manque, et pourtant je continue à n'avoir pas souci de moi-même, tandis que je m'occupe des affaires des Athéniens ! Aussi est-ce en me bouchant de force les oreilles, comme pour me défendre des Sirènes, que je m'en vais en fuyant, pour n'avoir pas, assis en ce lieu même, à attendre la vieillesse aux côtés de ce bonhomme ! Enfin, il est le seul au monde *(b)* vis-à-vis de qui j'aie éprouvé un sentiment dont la présence en moi pourrait sembler incroyable, celui de la

honte vis-à-vis de quelqu'un : or, il n'y a que lui envers qui j'aie honte ! Car ma conscience m'atteste à moi-même, et mon incapacité à prouver contre lui qu'on n'est pas obligé de faire ce que, lui, il recommande, et, d'autre part, la facilité avec laquelle, dès que je me suis éloigné, je me laisse vaincre par le souci d'être considéré de la foule. En conséquence, tel un esclave qui s'échappe, loin de lui je m'enfuis, et, quand il m'arrive de le voir, j'ai honte de ce dont j'ai convenu ! *(c)* Maintes fois même, c'est avec joie que j'aurais vu sa disparition du nombre des hommes ; mais je sais fort bien en revanche que, si cela arrivait, j'en serais encore bien davantage peiné. Bref, je ne suis pas à même de savoir comment m'y prendre avec ce diable d'homme !

« Voilà donc quelle sorte d'impressions a produites, sur moi comme sur beaucoup d'autres, le satyre que voici avec ses airs de flûte. Mais il y a d'autres traits, écoutez-moi, qui montrent à quel point il ressemble à ceux auxquels je l'ai comparé et quel merveilleux pouvoir il possède. Sachez-le bien en effet, *(d)* nul de vous ne connaît cet homme-là ; mais moi (puisqu'aussi bien j'ai commencé !), je vais vous le dévoiler. Socrate, c'est un fait que vous constatez, est à l'égard des beaux garçons en amoureuses dispositions, il tourne toujours autour d'eux, il en est transporté. C'est un autre fait encore qu'il ignore toutes choses, qu'il ne sait rien, c'est un air qu'il se donne ! Ces façons ne sont-elles pas d'un Silène ? Tout ce qu'il y a de plus, ma parole ! Cela en effet, c'est l'enveloppe extérieure du personnage, comme est le Silène sculpté. Mais à l'intérieur, une fois qu'on l'a ouvert, de quelle quantité de sagesse il est plein, vous le figurez-vous, camarades buveurs ? Sachez-le : on peut être beau, cela ne l'intéresse en rien, il fait fi de cela à un degré totalement inimaginable ; *(e)* on peut être riche, on peut posséder tel autre avantage envié de la multitude, tous ces biens, à son jugement, ne sont d'aucun prix et nous, nous ne lui sommes de rien ! Oui, c'est à vous [128] que je m'adresse ! Or à faire ainsi, dans ses relations avec autrui, le naïf [129] et le plaisantin, il passe sa vie entière. Mais, quand il est sérieux et que le Silène a été ouvert, y a-t-il ici quelqu'un qui y ait vu les figurines de Divinités qui sont à l'intérieur ? je l'ignore, mais à moi, déjà, il m'est arrivé de les voir, *217* et je les ai trouvées à tel point divines *(a)* et toutes d'or, à tel point superbes et merveilleuses, que je n'avais plus, en bref, qu'à faire tout ce que m'ordonnerait Socrate !

La spiritualité de l'amour chez Socrate.

« Or, comme je le croyais sérieux dans l'attention qu'il portait à ma beauté, alors en sa fleur, je crus que c'était pour moi une aubaine et une exceptionnelle bonne fortune, qu'il m'appartînt, en cédant aux vœux de Socrate, d'apprendre de lui absolument tout ce qu'il savait ; car de cette fleur de ma beauté je me faisais, certes, une idée prodigieusement avantageuse ! Ayant donc réfléchi là-dessus, moi qui jusqu'alors n'avais pas l'habitude de me trouver seul avec lui sans être accompagné d'un serviteur, *(b)* cette fois-là, congédiant le serviteur, je me trouvais en sa compagnie, tout seul... Devant vous, c'est sûr, je me suis engagé à dire toute la vérité : allons ! prêtez-moi toute votre attention, et toi, Socrate, si je mens, rétorque ! Ainsi, bonnes gens, nous nous trouvions ensemble, seul à seul, et je m'imaginais qu'il allait sur-le-champ me tenir les propos que doit justement tenir, en tête à tête un amant à ses amours, et je m'en réjouissais ! Or, rien absolument de tout cela n'arriva, mais, après m'avoir tenu des propos semblables à ceux qu'il pouvait d'habitude me tenir, au bout de cette journée passée avec moi, il sortit et s'en alla. En suite de quoi, c'est à partager mes exercices physiques[130] que je l'invitais, *(c)* et, dans la pensée d'aboutir sur ce point à quelque chose, je m'exerçais avec lui. Le voilà donc partageant mes exercices, luttant maintes fois avec moi sans témoins... Eh bien ! que dois-je vous dire ? je n'en fus pas plus avancé ! Mais, comme, en m'y prenant ainsi, je n'avais pas de succès, je m'avisai que c'était par la force que je devais m'attaquer à l'homme, et ne point me relâcher au contraire, puisqu'aussi bien j'y avais déjà travaillé, jusqu'à ce que le fin mot de l'affaire me fût désormais connu. Je l'invite donc à souper avec moi, bel et bien *(d)* comme un amant qui tend un guet-apens à ses amours ! J'ajoute qu'en cela même il ne se pressa pas de me donner satisfaction ; et cependant, avec le temps, il finit par se laisser convaincre. Mais, la première fois qu'il vint, aussitôt soupé, il voulut s'en aller ; et, cette fois-là, de honte, je le laissai partir.

« Une autre fois, le guet-apens préparé, je me mis, quand il eut fini de souper, à converser avec lui fort avant dans la nuit ; puis, comme il voulait sortir, je prétextai qu'il était très tard et je le forçai de rester. Or, il reposait sur le lit qui touchait le mien et celui-là même sur lequel il avait soupé ; *(e)* dans la pièce, personne d'autre ne dormait que nous... Sans nul doute, jusqu'à ce point de mon discours, il était parfaitement possible de parler même devant n'importe qui. Mais, à partir d'ici, vous ne pouvez écouter mon discours qu'à deux conditions : la première, que c'est, suivant le dicton, *dans le vin* (avec, ou sans, *la bouche des enfants !*) qu'*est la vérité* [131] ; la seconde, que, de la part de quelqu'un qui est parti à faire l'éloge de Socrate, laisser dans l'ombre une de ses actions, dont la superbe est sans pareille, c'est à mes yeux une évidente incorrection ! Ce n'est pas tout : mon état est aussi celui de l'homme qui a été mordu par un mâle de vipère : quand cela est arrivé à quelqu'un, il *218* se refuse, dit-on, je crois, *(a)* à décrire son état, si ce n'est à ceux qui ont été mordus, sous prétexte que seuls ils comprendront et pardonneront tout ce que, sous l'empire de la douleur, il a osé faire ou dire. Moi donc, qui ai subi une plus douloureuse morsure, et au point où il peut être le plus douloureux d'avoir été mordu : cœur, veux-je dire, âme, ou quel que soit le nom dont il faille appeler cela ; moi qui ai été blessé, mordu par les propos de la philosophie, ces propos qui, lorsqu'ils se sont engagés dans une âme jeune et qui ne manque pas de bons naturels, l'attaquent plus sauvagement qu'une vipère ; qui lui font faire ou dire n'importe quoi ; moi enfin qui ai devant les yeux des Phèdre, des Agathon, *(b)* des Eryximaque, des Pausanias, des Aristodème aussi bien que des Aristophane [132] (de Socrate, lui, que faut-il que je dise ?), sans parler de tant d'autres, car tous, vous avez pris votre part du délire philosophique et de ses ivresses [133] : aussi, tous, vous m'écouterez, parce que tous, vous me pardonnerez mes actes d'alors comme mes propos d'à présent ! Quant à vous, serviteurs, et tout autre profane ou rustre qu'il pourrait y avoir ici, appliquez-vous sur les oreilles des portes très épaisses [134] !

La tentation déjouée.

« De fait donc, messeigneurs, quand la lampe eut été éteinte *(c)* et que les esclaves furent sortis, je jugeai qu'avec lui il ne fallait pas y aller par quatre chemins, mais librement lui dire ce que je jugeais avoir à lui dire. Je le pousse alors : « Socrate, fis-je, tu dors ? – Point du tout ! me répondit-il. – Ecoute, sais-tu à quoi j'ai pensé ? – Et à quoi précisément ? dit-il. – Tu es, à mon jugement, repartis-je, le seul amant qui soit digne de moi, et il est clair pour moi que tu hésites à me faire une déclaration ! Or moi, voici quel est mon sentiment : j'estime qu'il est tout à fait déraisonnable de ne pas, sur ce chapitre aussi, céder à tes vœux comme dans tel autre cas où tu aurais besoin, soit des biens qui m'appartiennent, *(d)* soit des amitiés que je possède. Rien en effet n'est pour moi plus précieux que de me rendre le meilleur que je pourrais. Mais c'est une œuvre pour laquelle je ne pense pas pouvoir trouver d'auxiliaire dont la maîtrise soit supérieure à la tienne. Aussi serais-je infiniment plus honteux, devant les gens intelligents, de n'avoir pas cédé aux vœux d'un homme comme toi, que je ne le serais, aux yeux de la foule et des imbéciles, d'y avoir cédé ! – Mon cher Alcibiade, dit-il après m'avoir écouté et en prenant cet air parfaitement naïf qui est tout à fait à lui et dont il a l'habitude, il y a des chances, réellement, que tu ne sois pas un étourneau, *(e)* si toutefois ce que tu dis de moi se trouve être vrai et qu'il y ait en ma personne quelque vertu grâce à laquelle, toi, tu deviendrais meilleur ! Assurément, tu as dû voir au-dedans de moi une inimaginable beauté, qui l'emporte infiniment sur la grâce de tes formes. Si donc, l'ayant aperçue, tu te mets en tête d'en prendre ta part et d'échanger beauté contre beauté, ce n'est pas un petit bénéfice que tu médites de faire sur moi : bien au contraire, à la place d'une opinion de beauté, c'en est une véritable, que tu te mets en tête d'acquérir, *(a)* et, réellement, tu penses à *troquer du cuivre contre de l'or*[135]. Fais attention pourtant, bienheureux ami, que je n'aille pas te faire illusion, moi qui ne sais rien ! La vision de l'esprit, ne l'oublie pas, ne commence d'avoir un coup d'œil perçant, que lorsque celle des yeux se met à perdre de son acuité ; or c'est de quoi tu es, pour ta part, encore loin ! – Pour ce qui est

219

de mon fait, répliquai-je à ces paroles, c'est bien cela, et, dans mon langage, il n'y a rien eu qui ne fût conforme à ma pensée. A toi, comme cela, de délibérer de ton côté sur ce que tu juges être le meilleur pour toi comme pour moi. – Mais oui ! répondit-il, voilà qui est bien parler ! *(b)* Employant en effet à cette délibération le temps qui vient, nous ferons enfin ce qui se sera révélé pour nous deux le meilleur, tant sur cette question que sur toute autre. » Moi, sur ce, après l'avoir entendu, après lui avoir parlé moi-même, lui ayant en quelque façon décoché mes traits, je m'imaginais l'avoir blessé. Alors, je me soulève, je ne lui laisse même pas la possibilité de rien dire de plus, je le couvre de mon manteau à moi (on était en hiver), je m'allonge sous la bure[136] de l'individu que voici, *(c)* je passe mes bras autour de cet être humain, divin véritablement et miraculeux ; et voilà comment je restai étendu, la nuit tout entière ! Sur ce nouveau point, Socrate, tu ne vas pas dire non plus que je mens ! Ainsi, moi, j'avais eu beau faire, sa supériorité à lui s'en affirmait d'autant : il dédaignait la fleur de ma beauté, il la tournait en dérision, il l'insultait ! Et c'était, en vérité, là-dessus que ma cause, je me la figurais avoir quelque valeur, Juges !... Juges, je dis bien[137], car vous l'êtes : de la superbe de Socrate !... Oui, sachez-le, j'en atteste les Dieux, j'en atteste les Déesses : après avoir ainsi dormi avec Socrate, il n'y avait, quand je me levai, rien de plus extraordinaire *(d)* que si j'avais passé la nuit près de mon père ou d'un frère plus âgé !

« Après cela, donc, en quel état d'esprit vous figurez-vous que j'étais ? D'une part me jugeant méprisé, plein d'admiration d'autre part pour le caractère de cet individu, pour sa sagesse, pour sa vaillance ; après cette rencontre que j'avais faite d'un homme comme je n'imaginais pas qu'il fût jamais possible d'en rencontrer un pareil pour le bon jugement et pour la fermeté du vouloir ! Si bien qu'en fin de compte je ne voyais le moyen, ni de me priver, par colère, de sa fréquentation, *(e)* ni de réussir à trouver par quelle voie je l'attirerais dans mes bras : car, je le savais fort bien, il était, de toutes parts, beaucoup plus invulnérable à la séduction de la richesse qu'Ajax ne l'était au fer[138], et, sur le seul point où je jugeais qu'on pouvait espérer le prendre, il m'avait échappé ! Dès lors, je ne savais comment me tirer d'affaire, et, réduit par le personnage à une servitude comme personne n'en a jamais subi de la part de personne, je cherchais de tous les côtés une issue.

Socrate supérieur à toutes les conditions extérieures.

« C'est un fait que tout cela m'était déjà arrivé, quand, par la suite, nous prîmes part ensemble à l'expédition de Potidée[139], au cours de laquelle nous étions compagnons de subsistance. Or donc, en premier lieu, pour ce qui est de supporter les fatigues, ce n'est pas à moi seulement qu'il était supérieur, mais à tous les autres, sans exception. Toutes les fois que, ayant été, de façon ou d'autre, ce qui est naturel en campagne, *220* coupés de nos communications, *(a)* nous étions contraints à ne pas manger, alors, pour la résistance, les autres n'existaient pas comparés à lui. Et, au rebours, dans les moments d'abondance, il était seul à bien savoir en profiter, principalement pour ce qui était de boire ; non qu'il le fît volontiers ; mais, quand il y était forcé, alors il surpassait tout le monde ; et, ce qu'il y a de plus admirable que tout, c'est que jamais personne n'a vu Socrate ivre : aussi bien m'est avis que, tout à l'heure même, vous en aurez la preuve ! Autre chose : pour l'endurance par rapport aux rigueurs de l'hiver (dans cette région-là, en effet, les hivers sont terribles), il réalisait des prodiges : *(b)* un jour principalement qu'il y avait la plus terrible gelée qui se pût, et que tout le monde, ou bien s'abstenait de quitter son gîte pour sortir, ou bien, en cas de sortie, se couvrait d'une quantité de choses extraordinaire, les pieds chaussés et enveloppés dans des feutres et des peaux d'agneau ; lui, au contraire, dans ces circonstances, il sortait avec un manteau tout pareil à celui qu'auparavant il avait coutume de porter, et, nu-pieds, il cheminait sur la glace plus aisément que les autres, bien chaussés : regardé de travers par les soldats qui se croyaient nargués par lui ! *(c)*

« Pour cela, voilà donc ce qui en est. *Mais voici ce qu'encore a accompli et supporté cet homme énergique*[140], un jour, là-bas, en campagne, et qui vaut d'être entendu. Ayant en effet concentré ses pensées dès l'aurore sur quelque problème, planté tout droit, il le considérait, et, comme la solution tardait à lui venir, il ne renonçait pas, mais restait ainsi planté, à chercher ; c'était déjà midi, les hommes en faisaient la remarque, et, pleins d'étonnement, ils se disaient l'un à l'autre : « Depuis le petit jour, Socrate est là debout, en train de méditer quelque chose ! » *(d)* Finalement, le soir venu, quelques-uns de ceux qui l'observaient, ayant, après leur dîner, transporté dehors (car on était alors en été) leur couchage, joignaient ainsi à l'agrément de dormir au frais la possibilité de surveiller Socrate, pour voir si, toute la nuit, il demeurerait ainsi, en plant. Or, il resta planté de la sorte jusqu'à l'aurore et au lever du soleil. Ensuite, il s'en alla de là, après avoir fait au Soleil sa prière.

Le courage de Socrate.

« Passons maintenant, si vous le voulez bien, à l'article des combats, car c'est un point sur lequel il est juste assurément que je m'acquitte envers lui ! En effet, quand eut lieu le combat à la suite duquel les honneurs me furent décernés par les généraux, ce n'est à personne d'autre qu'à lui que j'ai dû mon salut : *(e)* j'étais blessé, il se refusa à m'abandonner ; mais, tout ensemble, il sauva mes armes et ma personne[141]. Et c'est alors aussi que les honneurs, Socrate, je priai nos généraux de te les décerner à toi : là-dessus au moins tu ne vas pas m'incriminer, ni prétendre que je mens ! Par malheur, les généraux, pleins de considération pour ma situation sociale, voulaient me les décerner à moi, ces honneurs ; et toi, tu fus plus enragé que les généraux mêmes à me les faire avoir à ta place ! Ce n'est pas tout encore, mes

221 amis, *(a)* et il y a lieu de considérer Socrate à l'œuvre, lorsqu'en déroute l'armée se retirait de Dèlion[142]. Je m'y trouvai en effet à ses côtés, moi à cheval, lui sous le poids de son armement[143]. Donc, on battait en retraite ; c'était déjà la débandade parmi nos hommes ; lui, il marchait de conserve avec Lachès[144]. Je les rencontre, et, dès que je les vois, je leur crie d'avoir confiance, ajoutant que je ne les abandonnerais pas. En cette occasion, mieux encore qu'à Potidée, j'ai considéré Socrate à l'œuvre, car j'avais moins à craindre, du fait que j'étais à cheval : *(b)* premièrement, il l'emportait de beaucoup sur Lachès pour la présence d'esprit ; en second lieu, j'avais tout à fait le sentiment (ça, c'est de toi, Aristophane !) qu'il circulait là, tout comme si ç'avait été dans Athènes : *avec la majesté d'un héron, et lançant, de ses deux yeux, un coup d'œil de chaque côté*[145] ; inspectant avec tranquillité les mouvements des amis comme ceux des ennemis, se révélant à tous, même de fort loin, comme un homme qui se défendrait tout à fait vigoureusement si l'on s'avisait de s'y frotter. Aussi bien est-ce sans encombre qu'ils s'en allaient, lui comme l'autre ; car, en général, les gens qui montrent de telles dispositions, à la guerre on ne se frotte pas non plus à eux ; *(c)* on pourchasse au contraire ceux qui fuient en désordre.

Socrate ne ressemble à personne.

« Sans doute y aurait-il quantité de choses encore desquelles on pourrait louer Socrate, admirables même ! Peut-être cependant, dans les autres emplois de notre activité, serait-il possible, à propos aussi d'un autre homme de tenir un pareil langage. Or, que Socrate ne ressemble à aucun homme, ni parmi ceux de l'Antiquité, ni parmi nos contemporains, voilà qui mérite de pleinement nous émerveiller. De ce que fut Achille, on pourrait en effet trouver une image en Brasidas[146], et chez d'autres ; ou bien, en un autre genre, de ce que fut Périclès, dans Nestor et dans Anténor[147], *(d)* pour n'en pas nommer d'autres ; ailleurs, selon ce procédé, il y aurait lieu à d'autres comparaisons. Or, de ce qu'est le gaillard que voici, avec ce qu'il y a de déconcertant, et dans sa personne, et dans ses propos, on ne trouverait, en cherchant bien, rien qui même en approche, ni parmi les contemporains, ni dans l'Antiquité... à moins que par hasard on ne s'avise, comme je l'ai fait, d'en chercher une image, non point chez aucun être humain, mais chez les Silènes et les Satyres, pour sa personne comme pour ses discours ! C'est qu'en effet, cela, je l'ai laissé passer au commencement : ses propos aussi sont tout ce qu'il y a de plus semblable aux Silènes qu'on ouvre ; *(e)* car, si l'on veut bien écouter les propos de Socrate, on les trouvera sans doute, à première impression, complètement grotesques. Tels sont les mots, les phrases dont s'enveloppent leurs dehors, comme de la peau d'un insolent Satyre : de fait, il y parle d'ânes bâtés, de forgerons, de cordonniers, de tanneurs ; il donne toujours l'impression de dire les mêmes choses sous la même forme, si bien

que quiconque est ignorant ou irréfléchi
222 doit tourner ses propos en dérision. *(a)* Mais, les voit-on s'ouvrir, est-on entré dans leur intérieur, alors on découvrira, premièrement qu'ils sont les seuls à avoir dans le fond quelque intelligence ; ensuite, qu'ils sont tout ce qu'il y a de plus divin, qu'ils contiennent en eux le plus grand nombre possible d'images divines[148] de vertu, avec le plus large champ d'application, bien mieux avec tout celui qu'il convient d'avoir en vue quand on se propose de devenir un homme accompli !

« Voilà, messeigneurs, en quoi je loue Socrate, et, pour ce qui est, d'autre part, de mes griefs envers lui, je les ai entremêlés, en vous disant ses insolences envers moi ; *(b)* dont même je n'ai pas été la seule victime, mais aussi Charmide, le fils de Glaucon, et Euthydème, le fils de Dioclès[149], et d'autres en très grand nombre, que cet homme-là a dupés en se donnant pour leur amant, alors que, lui, c'est plutôt, au lieu du rôle d'amant, celui de bien-aimé qu'il a pris ! A toi aussi, je te le dis, Agathon, ne va pas te laisser duper par lui ; mais, instruit par nos propres mésaventures, prends tes précautions, de peur, comme dit le proverbe, de ressembler au *marmot qui comprend à ses dépens*[150] ! » (c)

ÉPILOGUE

« Le langage qu'avait tenu Alcibiade, la franchise dont il avait fait preuve provoquèrent un rire général, car il avait bien l'air de n'avoir pas cessé d'être amoureux de Socrate ! « Alcibiade, dit alors celui-ci, tu as, je pense, bien la tête à toi : autrement, tu n'aurais jamais déployé une telle ingéniosité pour faire l'ombre, avec tous les tours et retours dont tu l'as enveloppé, sur le motif de tous tes propos, et c'est tout à la fin, et certes incidemment, que tu lui as fait place : *(d)* comme si tous tes propos n'avaient pas eu pour but de nous brouiller, Agathon et moi ! parce que, dans ton idée, c'est toi que, moi, je dois aimer et personne d'autre, tandis que c'est par toi, et par personne d'autre, que doit être aimé Agathon ! Mais tu ne nous as pas donné le change ; tout au contraire, avec ses satyres, avec ses silènes, ce drame de ton invention est extrêmement

clair. Il ne faut pas pourtant, mon cher Agathon, qu'Alcibiade en soit plus avancé ; arrange-toi plutôt pour que personne ne crée de brouille entre toi et moi ! – Ma parole ! Socrate, il est fort possible *(e)* que tu dises vrai ! repartit Agathon : mais ce qui encore me le prouve, c'est la façon dont il est venu s'installer sur ce lit, entre toi et moi, afin de nous séparer l'un de l'autre[151] ! Or, il n'en sera pas plus avancé : c'est moi plutôt qui vais me déplacer pour m'installer auprès de toi sur le lit. – Hé ! oui, dit Socrate, installe-toi ici, en dessous de moi. – O Zeus ! s'écria Alcibiade, que n'ai-je pas, une fois de plus, à souffrir de cet homme ! Il se croit obligé, en toute occasion, de l'emporter sur moi ! Pourtant, à défaut d'autre chose, permets à Agathon de se placer entre nous deux. – Mais, dit Socrate, c'est impossible ; car tu viens, toi, de faire mon éloge, et moi, de mon côté, je dois faire l'éloge de celui qui est à ma droite : ainsi donc, dans le cas où Agathon prendrait place en dessous de toi sur le lit, il ne ferait certainement pas, je suppose, une seconde fois mon éloge, avant d'avoir été, bien plutôt, loué par moi !
223 *(a)* Permets au contraire, divin ami, et sans en être jaloux, que soit loué par moi ce

jeune homme ! J'ai en effet une terrible envie de célébrer ses louanges ! – Bravo ! s'écria Agathon. Impossible, Alcibiade, que je reste à cette place ! mais il faut, à toute force, que j'en change, afin d'être loué par Socrate ! – Voilà bien, dit Alcibiade, ce qui se passe d'habitude ! Quand Socrate est quelque part, il n'y a, pour un autre, rien à faire du côté des beaux garçons ! A présent encore, voyez comme il lui fut expédient[152] de découvrir un motif plausible de faire installer celui que voici auprès de lui-même ! » *(b)*

« Sur ce, Agathon se lève pour aller s'installer auprès de Socrate, quand soudain arrive à la porte un fort groupe de bambocheurs, et, l'ayant trouvée ouverte par suite de la sortie de quelqu'un, ils poussent droit devant eux jusqu'auprès de nous et s'étendent sur les lits. Il y eut alors, plein la salle, un tumulte général, on ne gardait plus aucune tenue, l'obligation était de boire du vin à haute dose ! Là-dessus, d'après Aristodème, quittèrent la place et s'en allèrent Eryximaque, Phèdre et quelques autres. *(c)* Quant à lui, pris de sommeil, il dormit un bon coup, vu que les nuits étaient longues, et il ne se réveilla qu'à l'approche du jour, alors que déjà chantaient les coqs.

« Quand il se fut réveillé, il vit que les uns dormaient ou s'en étaient allés, tandis qu'Agathon, Aristophane et Socrate étaient seuls encore à veiller, buvant dans une grande coupe qu'ils se passaient de gauche à droite. C'était Socrate qui leur parlait. De ses propos, au reste, Aristodème disait ne pas se souvenir, *(d)* n'en ayant pas entendu le commencement et ayant en outre la tête lourde de sommeil. L'essentiel en était cependant que Socrate les forçait de convenir qu'il appartient au même homme de savoir composer comédie et tragédie, et que celui qui est, avec art, poète tragique est aussi poète comique. Eux, ils s'y laissaient forcer sans trop bien suivre, et laissant tomber leur tête. Ce fut Aristophane qui s'endormit le premier, puis Agathon, alors qu'il faisait jour déjà.

« Là-dessus, Socrate, les ayant endormis comme des enfants, se leva et partit ; comme à son habitude, Aristodème le suivit. Il se dirigea vers le Lycée[153], et, après s'être débarbouillé, il passa, comme n'importe quelle autre fois, le reste de la journée, et, quand il l'eut ainsi passée, vers le soir il alla chez lui se reposer. »

NOTES

1. Un des ports d'Athènes, au sud du Pirée, à une lieue environ d'Athènes.

2. Il avait quitté Athènes (entre 410 et 405) pour aller vivre à la cour brillante du roi de Macédoine, Archélaos (assassiné en 399, l'année même de la mort de Socrate).

3. En 416.

4. Ceux qui constituaient le *chœur* de sa tragédie et, peut-être aussi, ses acteurs.

5. C'était un des fanatiques de l'entourage, comme en ce temps Chéréphon, comme, dans les dernières années, Apollodore. Aller pieds nus est un signe extérieur d'affiliation.

6. Le Sage seul est vraiment heureux. Or Apollodore n'est pas parvenu à la Sagesse ; il s'y efforce en imitant Socrate. Il est donc encore malheureux : ses amis ont raison de le croire. C'est à cette sévérité d'Apollodore envers lui-même que l'Ami fait allusion au début de sa réponse. Une opposition secondaire existe peut-être entre la *croyance* des uns et le *savoir* de l'autre par rapport à l'appréciation de l'infortune.

7. Une très ancienne correction, adoptée par la plupart des éditeurs, substitue au mot grec que j'ai traduit par « tendre » *(malacos)* un autre mot qui signifie « fou furieux » *(manicos)*. On allègue que le premier qualificatif s'applique mal à l'impitoyable juge qu'est Apollodore. Mais n'est-ce pas justement ce que fait observer l'Ami ? n'est-ce pas aussi le sens de la réponse d'Apollodore ? Ne savons-nous pas d'ailleurs par le *Phédon* (vers la fin) que nul n'est plus prompt à s'attendrir et n'a les larmes plus faciles ?

8. Ce sera donc *le récit d'un récit*.

9. Ici, Platon emploie après un « dit-il », la première personne, comme si c'était Aristodème lui-même qui parlait. Mais ailleurs c'est Apollodore qu'il fait parler avec des formules comme celle-ci : « Il (Aristodème) me disait qu'il avait dit. » Peut-être n'est-il pas indispensable de respecter scrupuleusement ces formes extérieures du récit : j'ai donc omis tous les « disait-il », « contait-il », etc.

10. « D'eux-mêmes », c'est-à-dire sans avoir eu besoin d'y être invités. Or, Socrate a été invité par Agathon, et, à son tour, Socrate invite Aristodème. Voilà le changement, ruineux en effet pour le proverbe. Le grec contient en outre ici un intraduisible calembour : le nom d'Agathon, mais avec une accentuation différente, est homonyme de celui qui signifie « des gens de bien ».

11. *Iliade*, XVII, 587, et II, 408.

12. Deux par deux en règle générale sur les lits, disposés, semble-t-il, en fer à cheval autour de la table sur laquelle sont les victuailles.

13. Célèbre médecin de la fin du ve siècle, dont le père, Acoumène, avait aussi une grande renommée de praticien.

14. Agathon juge indigne de son génie de surveiller ses domestiques.

15. C'est la place du maître de maison, et il fait asseoir à sa droite « l'hôte d'honneur » (cf. *e* déb.) : s'il est donc seul à cette place c'est qu'il attend Socrate (cf. 222 *e*).

16. Le mot doit être pris dans son sens le plus large : à la fois de *savoir, habileté, talent,* quand c'est Agathon qui l'emploie, et de *réflexion critique* de la conscience sur elle-même, quand c'est Socrate ; c'est la différence qui le sépare des Sophistes.

17. Par conséquent à une des fêtes théâtrales qui n'étaient pas destinées aux seuls habitants de l'Attique, mais avaient tous les Grecs pour spectateurs : les « Grandes Dionysies ».

18. Dionysos (Bacchus), patron et juge des concours dramatiques, a le même rôle par rapport à une émulation qui oppose des buveurs. Ce sont des « cantiques » en son honneur qu'on va chanter tout à l'heure.

19. Le personnage n'est connu que par ses sentiments pour Agathon, auxquels il est fait allusion plus ou moins explicitement. *Protagoras,* 315 *d,* et ici, 177 *de,* 193 *b.*

20. Sur les raisons qui ont inspiré à Platon l'idée de faire d'Aristophane, rendu responsable ailleurs (*Apologie*, 18 *cd*, 19 *cd* ; *Phédon*, 64 *b*, 70 *bc*) de la condamnation de son maître, un commensal de Socrate au souper d'Agathon, on ne peut faire que des conjectures. Il est même difficile de savoir si l'amicale courtoisie dont ils font preuve mutuellement, ne cache pas une intention foncièrement hostile, attestée par nombre de traits et sans que cela exclue de l'admiration pour le génie du grand comique.

21. Sur le personnage, voir surtout le dialogue qui porte son nom, mais aussi *Protagoras*, 315 *c*, où on le voit assidu auprès d'Eryximaque. Par un passage d'un plaidoyer de Lysias et par un fragment d'une comédie d'Alexis (poète de la comédie moyenne), on sait qu'il avait perdu toute sa fortune.

22. Pièce perdue, qu'on appelait *Mélanippe la Sage*, pour la distinguer d'une *Mélanippe la Captive*, du même poète.

23. L'« hymne » est un poème en l'honneur des dieux et que l'on chante, sans mouvements, sur la lyre. Le « péan » est un chant, originairement en l'honneur du seul Apollon, prière ou action de grâces et qui, accompagné de la flûte, se chante à plusieurs voix.

24. Le terme technique en grec est *encômion* : primitivement un chant spécial aux banquets. On fait souvent remarquer que, dans l'*Antigone* de Sophocle (781 sqq.), dans l'*Hippolyte* (525 sqq.) ou dans la *Médée* (825 sqq.) d'Euripide, il y a de beaux couplets sur l'Amour ; mais ce ne sont pas, comme le voudrait Phèdre, des poèmes spécialement écrits à sa louange.

25. Peut-être l'*Hercule au carrefour* (entre la Vertu et le Vice ; cf. Xénophon, *Mémor.*, II, 1, 21 sqq.).

26. Ce savant homme est probablement le Sophiste Polycrate, auteur aussi d'éloges des pots, des souris, des cailloux.

27. Sur le sens de cette phrase on ne peut rien dire qui impose la conviction. Il ne me paraît pas douteux, en tout cas, que l'intention en est malveillante et qu'elle vise moins la place faite par Aristophane aux choses d'Aphrodite sur la scène de Dionysos, qu'un penchant trop marqué pour les femmes et pour le vin. Autre brocard, après celui qui concerne Pausanias et Agathon.

28. Son discours est un pastiche, tout plein d'artifices de style (répétitions, allitérations, etc.) et de petits effets qu'il est impossible de rendre fidèlement ; du moins ai-je essayé d'en garder les longues périodes, particulièrement essoufflées.

29. *Théogonie*, 116 sqq., trad. Paul Mazon (coll. Budé).

30. Fr. 13. L'origine de l'Amour est en même temps celle de toutes choses et le principe du Devenir (le monde de l'Opinion par opposition à celui de la Vérité, ou de l'Etre absolu). La Déesse est Justice *(Dikè)* qui règle dans le Devenir les rapports des choses.

31. Début du ve siècle, auteur d'une « Cosmogonie », en prose cette fois.

32. Le thème dominateur des cinq premiers éloges est la conception, mi-admise, mi-réprouvée, de l'amour masculin. Tous visent à le justifier à des points de vue divers, et même en le déguisant, comme fera Pausanias, sous des intentions moralisatrices. Avec Socrate au contraire, cet amour est totalement épuré de ses motifs sensuels et transposé, sans équivoque, sur le plan éducatif et spirituel.

33. Comme le fameux « bataillon sacré » des Thébains, dont il y eut sans doute, avant et après, d'autres exemples.

34. *Iliade*, X, 482 (Athèna pour Diomède) ; XV, 262 (Apollon pour Hector).

35. Cf. *Phédon*, 68 *a*. Hercule la dispute à la Mort et la lui arrache, pour la rendre à Admète, son mari : lire l'admirable *Alceste* d'Euripide.

36. Avec la légende d'Orphée et d'Eurydice, Platon prend ici quelques libertés, dont la plus notable est celle qui consiste à faire de la mort d'Orphée, déchiré par les Bacchantes, une sorte de châtiment des Dieux.

37. D'après une autre tradition, que suit l'*Odyssée* (XI, 467 sqq.), Achille est aux Enfers : il est une des ombres évoquées par Ulysse dans la fameuse *Nekyia*.

38. Cf. *Iliade*, IX, 410 sqq. ; XVIII, 94 sqq. Exactement, Phèdre dit : « en secourant P. et en le vengeant ». Mais c'est cette vengeance même qui est une assistance : sinon en prêtant ses armes à Patrocle (XVI, déb.), nulle part dans l'*Iliade*, Achille ne vient au secours de Patrocle vivant.

39. Cf. *Iliade*, XI, 786. Le renvoi à Eschyle se rapporte à une pièce perdue : *Les Myrmidons*.

40. Ciel ou Ouranos (Uranus), de sorte que cette Aphrodite s'appellera *Ourania* (Uranie). C'est elle qui est « fille de l'onde amère », étant née de l'écume sanglante qui s'est formée sur la mer autour de la chair d'Ouranos, mutilé par son fils Zeus (cf. Hésiode, *Théogonie*, 188 sqq.). Ainsi, sans avoir eu de mère, elle est cependant la fille d'Ouranos.

41. Tradition qu'on trouve dans l'*Iliade*, V, 370 ; Diônè est une Néréide, fille d'Océan et de Tèthys. Cette Aphrodite est, en grec, la *Pandème*, c'est-à-dire *commune à tout le peuple*. De même pour cet Amour dont il est ensuite question.

42. Ces tyrans athéniens sont les fils de Pisistrate, Hippias et Hipparque. Or, en 514, au cours de la fête des Panathénées, ce dernier fut poignardé par les conjurés. Harmodios, qui était le bien-aimé, fut tué sur place ; Aristogiton, mis à mort un peu plus tard. Quatre ans après, une nouvelle révolution fut plus heureuse ; les deux amis devinrent alors les purs symboles de l'amour et de la liberté ; un cantique dont nous avons conservé quelques vers les glorifiait.

43. « Les plus âgés », c'est-à-dire, sans doute, non pas des vieillards, mais d'autres jeunes gens, plus âgés que ceux dont il était tout à l'heure question et qui, en raison même de leur âge, devraient avoir plus d'esprit critique et de réflexion.

44. *Iliade*, II, 71 : il s'agit de Songe, qui est apparu à Agamemnon.

45. Autrement dit, il faut se mettre en chasse de l'amant de mérite et fuir le pervers. Pausanias pense à ce sujet à un jeu où il y a ainsi des poursuivants, et il imagine un arbitre qui donnera un prix à celui qui aura le mieux su, ou conquérir un amant de mérite, ou échapper à un amant pervers. La même idée vaut par rapport à la recherche par l'amant d'un garçon qui vaille la peine d'être aimé.

46. Tout au contraire, le style de ce discours, vraisemblablement encore un pastiche, est très savant : dans l'ensemble de la composition, dans la construction des périodes, dans le balancement de leurs « membres ». C'est un échantillon de l'« écriture artiste » du temps. La suite souligne cette intention polémique de Platon.

47. On pourrait appeler cela *isologie* : identité (dans le grec, bien entendu) de la première syllabe de deux mots, identité de la désinence, égalité du nombre des syllabes. Le

même procédé vaut pour la construction des phrases et pour celle des périodes.

48. Peut-être avec le sens de « l'art par excellence », comme dans le traité hippocratique *De l'art*, qui est une glorification de la médecine, et d'une façon analogue à ce que faisaient les maîtres de Rhétorique, en intitulant leurs traités *l'Art, le Grand Art.*

49. Eryximaque paraît établir une hiérarchie entre le médecin habile à diagnostiquer et le médecin habile à soigner.

50. Echo de la théorie pythagoricienne des oppositions chez les Médecins, comme on le voit chez Alcméon de Crotone (première moitié du ve s.).

51. De son nom latin Esculape, père de la race des médecins : ceux-ci forment en effet une confrérie d'*Asclépiades.*

52. Il désigne du doigt Aristophane et Agathon.

53. Fragm. 51 (ou 45, selon les recueils) : citation libre. L'unité d'un son résulte de la composition des sons opposés, grâce à la tension et au relâchement alternatifs des cordes dans l'opération de l'accord. De même, pour l'arc, celui-ci et sa corde se tendant en sens opposés, l'unité du lancement de la flèche se réalise.

54. En effet, un accord, un rythme déterminés sont ou ne sont pas (cf. *Phédon,* 93 *ab*), selon que l'aigu et le grave, le rapide et le lent se sont ou non conciliés, c'est-à-dire aimés. Il n'y a donc pas lieu, à leur égard, de distinguer un bon et un mauvais amour, mais seulement négation d'amour, réalisation d'amour.

55. En grec *Ourania,* c'est-à-dire la Céleste.

56. Polymnie est la Muse de la poésie lyrique, qui exprime les sentiments d'un amour passionné. Mais la raison pour laquelle le bel amour est rapporté par Eryximaque à Uranie qui est la Muse de l'astronomie n'est pas claire : probablement fait-il abstraction de la spéciale fonction de cette Muse, pour n'en considérer que le nom, qui est celui de l'épithète appliquée par Pausanias à l'Aphrodite olympienne. Ce point de vue diffère du point de vue personnel de Platon dans *République.*

57. Thalie, la Muse de la Comédie.

58. Le mal d'amour, que la médecine ne guérit point.

59. Platon se souvient ici de la zoogonie d'Empédocle, dont il a voulu sans doute pasticher en outre le ton solennel. Les êtres *tout d'une pièce*, notamment, appartiennent à cette zoogonie (fr. 60-62 et cf. Lucrèce, V, 839).

60. En ponctuant autrement, on peut comprendre que c'est leur *structure* qui est *tout d'une pièce*, et que c'est de leur *dos*, aussi bien que de leurs *flancs*, qu'est affirmée la forme *circulaire*. Il y a en effet deux idées, qui dominent le morceau : l'une est que ces hommes doivent être *sphériques*, comme le sont les astres, leurs parents ; l'autre est qu'ils doivent être *d'une seule pièce*, puisqu'ils devront plus tard être *sectionnés*. On hésite à dire laquelle de ces deux idées prévaut dans la pensée d'Aristophane à ce moment de son exposé.

61. Deux Géants qui, pour réussir leur entreprise, entassèrent sur le mont Olympe le mont Ossa, et, par-dessus, le mont Pélion (cf. *Odyssée*, XI, 305 sq.).

62. Peut-être y a-t-il ici un souvenir des paroles de Prométhée dans Eschyle (*Prométhée enchaîné*, 231-233).

63. En sa qualité de Dieu guérisseur (cf. *Cratyle*, 405 *ab*).

64. Une femme de l'espèce humaine actuelle, au lieu d'être une moitié de femme entière, pourrait être la moitié féminine d'un androgyne.

65. Comme leurs visages dans l'état primitif ; mais les visages, lors de la première transformation, avaient été, de la face externe, transportés sur la ligne de sectionnement.

66. Aristophane ne veut pas parler d'une génération *par* la terre, comme celle qu'imagine, après Empédocle, Platon lui-même dans le mythe du *Politique* (271 *ab*, 274 *a*). Mais, de même que les cigales pondent *sur* la terre des œufs qui y éclosent, il admet que le mâle de l'humanité primitive dépose sur le sol une semence qui y est recueillie par la femelle !

67. En grec un *symbole*, signe de reconnaissance, par *rapprochement* des deux parties d'un jeton, d'un osselet, etc. C'était, comme la *tessera* des Latins, un témoignage de relations d'hospitalité, témoignage qui se transmettait dans les familles et attestait un lien de droit non seulement entre deux personnes, mais même entre deux familles. Aristophane

s'amuse ensuite à considérer tous les poissons plats qui, tel le carrelet, ont les deux yeux d'un même côté de la tête et un ventre blanc qui semble provenir d'un sectionnement tout récent, comme les moitiés complémentaires d'un poisson complet. On trouve la même image dans la *Lysistrata* d'Aristophane (115 sq.).

68. Le Dieu forgeron, le Vulcain de la mythologie latine.

69. Aristophane compare le sectionnement de notre nature primitive à ce qu'on appelait un *diœcisme*, c'est-à-dire à l'opération punitive qui consistait, de la part d'un Etat suzerain, à rompre l'unité politique d'une Cité, infidèle ou révoltée, en dispersant ses habitants en villages isolés, après en avoir rasé les murs. Il est *probable* que Platon pense ici à la punition infligée par les Spartiates à Mantinée, la ville principale de l'Arcadie, en 385 (donc trente et un ans *après* la date supposée du banquet d'Agathon : anachronisme, si l'hypothèse est fondée). On appelait *synœcisme* le rétablissement de l'unité politique de la Cité : ce qui arriva pour Mantinée en 371, quand elle fut restaurée par Epaminondas sous le nom de Mégalopolis.

70. Les stèles funéraires.

71. Probabilité ironique, qui est, à la fois, un rappel du dédoublement du mâle primitif, et une allusion à la féminité d'Agathon, principale caractéristique de son personnage dans les *Thesmophories* d'Aristophane.

72. Ici, comme quelques lignes plus haut, Platon emploie le mot grec que rend ordinairement le français « un mignon ». Mais en s'adressant, comme il vient de le faire, à *tous* les hommes et à *toutes* les femmes, il donne à penser que le mot doit être pris dans son sens le plus général. L'équivoque est voulue et d'intention comique.

73. Après le poète comique, le tragique : on les trouvera de nouveau associés à la fin du dialogue. Ce discours est encore un pastiche, qui correspond fort bien, dans sa complication et sa pauvreté de pensée, au jugement que, dans les *Thesmophories*, Aristophane porte çà et là sur le style d'Agathon.

74. La *némésis* qui rétablit l'équilibre rompu par l'excès d'une louange, d'un bonheur, etc.

75. *Odyssée*, XVII, 218, cité dans *Lysis*, 214 *ab*. Les philoso-

phes de leur côté (Empédocle, les Atomistes) ont fait de ce proverbe une loi de la Nature.

76. Phèdre n'a pas dit précisément cela, mais il a cité Hésiode ; et c'est quelques vers plus bas qu'est exposée la génération des Titans, enfants de Ciel et de Terre, dont Océan est le premier né et Cronos, père de Zeus, le dernier ; Japet, père d'Atlas, de Prométhée et d'Epiméthée, est entre les deux (*Théogonie,* 132 sqq., 507 sqq.).

77. L'index de l'éd. Paul Mazon de la *Théogonie* (coll. Budé) permettra de trouver aisément les passages relatifs à la mutilation de Ciel par Cronos, aux chaînes dont ce dernier charge ses frères, à la guerre de Zeus contre les Titans, etc. Quant à Parménide, il est possible qu'il ait été confondu ici par un très ancien copiste avec Phérécyde.

78. *Iliade,* XIX, 92 sq. C'est pourquoi les hommes ne s'aperçoivent pas que la « Fatalité du malheur » est sur eux, leur inspirant de mauvaises actions qui causeront leur perte.

79. La formule vient du Rhéteur Alcidamas, élève de Gorgias ; ce qui souligne, une fois de plus, que nous avons affaire ici à un échantillon de l'éloquence d'une certaine école de Sophistes (ou maîtres de rhétorique), distincte de celle à laquelle se rattachent Pausanias ou Phèdre.

80. Arès, le Mars des Latins. La citation provient d'un drame perdu de Sophocle, *Thyeste.*

81. Jeu de mots aussi intraduisible ici et dans ce qui suit que celui de 205 *bc* sur le verbe *poïeïn* et le substantif *poïètès* ; le *poète* est un *créateur d'œuvre* ; si Amour est poète en ce sens, il l'est au point d'être *capable de créer cette œuvre qu'est un créateur d'œuvre,* c'est-à-dire un poète.

82. Vers, passé en proverbe, de la *Sténébœa* perdue d'Euripide.

83. Ou, avec un autre texte : « le sommeil dans la peine ».

84. Ce cliquetis de mots, dont j'ai tenté de rendre principalement les sonorités, ne vaut pas toute la peine qu'on a prise pour lui donner une apparence de signification. C'est la caricature d'un style, et Platon cherche un effet comique, souligné d'ailleurs, un peu plus bas, par la parodie que fera Socrate de cette façon de parler.

85. Ironie : Agathon a parlé au contraire avec une insigne monotonie.

86. Encore une dérision, la péroraison d'Agathon n'étant faite que de mots, mis à la file, et ne formant pas de phrases.

87. Jeu de mots sur Gorgô, Gorgias : on était pétrifié, rien que de regarder la tête de Gorgone. Quant à l'allusion homérique, cf. *Odyssée*, XI, 632 : Ulysse a peur que, du fond de l'Hadès, Perséphone ne lui envoie la tête de Gorgô.

88. Euripide, *Hippolyte*, 612, trad. L. Méridier (coll. Budé).

89. Ridicule, parce qu'on n'aime pas nécessairement ses père et mère, qu'on peut aimer sa mère et non son père, tandis que toujours on aime ce qu'on aime, quoi que ce soit.

90. Il s'agit de la grande peste de 430, à la fin de laquelle mourut Périclès et dont Thucydide a laissé une célèbre peinture. Nombre d'indices portent à douter que Diotime soit, comme certains l'ont pensé, un personnage historique. C'est chez Platon un procédé assez commun de rattacher une doctrine importante à l'inspiration prophétique, dont le sujet est une prêtresse, un prêtre, un poète : ainsi *Ion*, 534 *cd* ; *Ménon*, 81 *ab* ; *Phèdre*, 235 *b* sqq., 244 *a* sqq. ; *Théétète*, 152 *e*, 156 *a* ; *Philèbe*, 16 *c*.

91. Il part de son entretien avec Agathon, en faisant mine de croire qu'Agathon lui a apporté une collaboration effective. Mais Diotime ne sera pas là pour l'aider, et il faudra qu'il fasse les demandes et les réponses.

92. Sur l'opinion droite, voir principalement *Ménon*, 97 *a* sqq. ; *Théétète*, 201 *bc*.

93. Voir le principe général de la nature des contraires (à la différence des contradictoires qui s'excluent mutuellement et n'admettent pas d'intermédiaire), 201 *e*-202 *b*.

94. Cf. *Cratyle*, 413 *b* ; *Phédon*, 99 *c*.

95. Soit une voix intérieure, comme le Démon de Socrate ; soit les songes (cf. *Criton*, 44 *ab*, 60 *e* sq.).

96. *Mètis*, « Invention » ou « Sagesse » est une fille d'Océan et de Tèthys, et la première femme de Zeus, qui, au moment où elle allait mettre au monde, la mangea, afin d'être mieux instruit de l'avenir. – *Poros*, Expédient : « Ressource » traduirait bien, si l'on n'avait besoin d'un nom masculin.

97. Littéralement : « en raison de son manque de ressource ». Mais le grec que traduisent ces derniers mots est *aporia*, qui est le terme privatif s'opposant à *Poros*, que j'ai

rendu par « Expédient ». J'ai tenté de garder le calembour. De même vers la fin de *d*.

98. Cette opinion *commune* a été cependant soutenue par l'homme *distingué* qu'est Agathon. D'autre part, ce qui suit est, dans la forme, un pastiche de la fin du discours d'Agathon.

99. Platon dit *philo-gymnastique* et *philo-sophie*.

100. Allusion à la thèse d'Aristophane. Comme toutes les autres, cette allusion semble destinée à montrer que Diotime, c'est Socrate lui-même, convive du banquet et occupé à critiquer les cinq précédents discours.

101. Allitération intraduisible : *mante*ïa, « divination » ; *manth*-anô, « je comprends ». Pour la conserver, il faudrait traduire : « je ne *devine* pas », ce qui ne serait pas tout à fait exact.

102. Parque, ou, de son nom grec *Moïra*, fixe une destinée ; Ilithye *(Eïleïthya)*, déesse de l'accouchement, donne à cette destinée le début de son déroulement. Platon personnifie ici la beauté (dont, au nom neutre, il substitue le nom féminin) pour lui donner ce double office dans la production d'une existence, tant dans la procréation que dans l'enfantement.

103. C'est le *cycle des générations* (*Phédon*, 72 *a* sqq.), introduit dans le cadre de la vie individuelle, celle de l'âme comme celle du corps.

104. Ce mot est-il, comme le pensent plusieurs éditeurs, une réflexion marginale qui se serait introduite dans le texte ? Mais l'oubli n'est-il pas une perte, et de la connaissance, et du souvenir de cette connaissance ? L'étude a donc bien pour effet de remplacer le souvenir aboli avec la connaissance elle-même, par un souvenir *neuf*. Ce dernier mot est décisif.

105. En d'autres termes, comme il a été dit quelques lignes plus haut, « par l'identité absolue d'une existence éternelle » (cf. *Politique*, 269 *d*). Certains éditeurs ont cependant cru devoir corriger le texte et comprennent : « mais c'est *impossible* par un autre moyen. »

106. En décalquant le grec, on traduirait : « aux *Sophistes* accomplis ». Mais ce serait affaiblir l'ironie, en exprimant le sous-entendu.

107. Il est fort possible que ce vers, d'origine inconnue, soit de Platon lui-même, et introduit ici pour se moquer de ce qu'a fait Agathon. Dans tout le lyrisme de Diotime il y a d'ailleurs une large part d'ironie ; mais qui ne concerne que la forme, et qui se manifeste surtout dans les reprises *transposées* des discours précédents.

108. Tout ceci se rapporte au discours de Phèdre, avec un exemple de plus : en lutte contre Athènes, les Doriens savaient par un oracle que, s'ils tuaient son roi, ils auraient le dessous ; Codros l'apprit et, sous un déguisement, il se fit tuer par l'ennemi.

109. Les interprètes sont unanimes à comprendre : « Générateurs *de ces choses* sont les poètes et... » Mais, si cela peut être dit, ironiquement d'ailleurs, de poètes comme Homère et Hésiode dont l'étude était fondamentale dans la formation spirituelle de la jeunesse, on voit mal comment cela s'appliquerait, dans l'ordre des métiers, même à des inventeurs. Quoi qu'il en soit, le passage vise évidemment le discours d'Agathon.

110. Tout ce morceau se rapporte-t-il à l'affection unissant Platon à Dion, le disciple privilégié ? Ou bien à l'affection qui unit le philosophe à la communauté spirituelle qu'il a fondée dans l'enclos d'Académus, et justement deux ans avant la date probable de la composition du *Banquet* ? Cette deuxième hypothèse me semble la plus satisfaisante. De toute façon, il y a là une transposition des développements de Pausanias sur l'amour éducateur.

111. Diotime est une Dorienne, et Platon, on le sait, a pour la législation de Sparte une prédilection marquée.

112. Au sens étymologique : enlèvement *du voile,* qui cache l'image de Dieu ; vision qui récompense un méthodique effort de préparation.

113. Deuxième degré de l'initiation.

114. Il n'y a pas là un nouveau degré, mais une généralisation de l'effort spirituel éducatif ; généralisation analogue à celle du degré précédent.

115. Troisième et dernier degré.

116. Les astres sont les vivants du ciel.

117. Cf. *République,* VII, 518 *cd* ; *Phédon,* 65 *e* sq. ; *Phèdre,* 247 *c.*

118. Le terme grec est volontairement équivoque : ce n'est pas un discours du type des précédents : d'où la prière de Socrate à Phèdre.

119. La place attribuée à Alcibiade dans cette troisième partie (qui a en outre une signification symbolique profonde quant au rôle de l'amour comme méthode philosophique) s'explique par la nécessité où s'est trouvé Platon, dans une sorte de nouvelle *Apologie*, de défendre la mémoire de son maître contre l'acte d'accusation posthume, fictivement dressé (388 ?), sous le nom d'Anytos, par le rhéteur Polycrate. Socrate y était rendu responsable, par son influence prétendue sur Alcibiade, de tous les méfaits de celui-ci (mutilation des Hermès un peu après la date supposée du banquet d'Agathon ; divulgation des Mystères ; désastre de l'expédition de Sicile qu'il avait fait décider ; trahisons ultérieures). Il s'agit donc de montrer que, tout au contraire, Alcibiade s'est dérobé à l'influence que Socrate tentait d'exercer sur lui et qui en aurait fait un autre homme.

120. Ce sens, qui répond à la formule des décrets honorifiques, résulte d'une très légère correction apportée au texte des manuscrits, généralement suspecté, et dont le sens serait : « Si j'ose m'exprimer ainsi » ; le compliment en effet n'était guère flatteur pour le reste de l'assistance !

121. Plus de deux litres et un quart.

122. La conviction médicale d'Eryximaque au sujet des excès de boisson était donc déjà professée par son père Acoumène.

123. Ce que dit Homère, *Iliade*, XI, 514, de Machaon, fils d'Esculape.

124. C'est de ce passage que Rabelais a tiré le début du prologue de son *Gargantua*.

125. Marsyas.

126. Olympe le Phrygien passait pour avoir été le disciple de Marsyas. Quant à la rivalité de celui-ci et d'Apollon, elle symbolise la prétention de la flûte à supplanter la cithare et la lyre.

127. Ce sont les prêtres de Cybèle, dont les danses produisaient à la fin une extase.

128. A vous qui croyez être des gens *qui comptent*.

129. C'est l'*ironie*, c'est-à-dire la feinte : feindre qu'on ne

sait pas quand on sait, qu'on aime d'amour quand on aime spirituellement.

130. Qui se pratiquent sans vêtement.

131. Combinaison de deux proverbes : la vérité, qui est *dans le vin*, sort aussi *de la bouche des enfants*. Le mot grec, que je traduis par « enfants », pouvant signifier « esclaves », certains interprètes comprennent qu'Alcibiade penserait à l'incapacité de l'ivrogne à retenir sa langue véridique, même devant des esclaves.

132. L'ironie est accentuée par l'accouplement de ces deux noms, celui du disciple fanatique et celui de l'adversaire acharné.

133. Ses transports *dionysiaques*, sa bacchanale.

134. Formule usitée, croit-on, dans les cultes orphiques, pour dire que le secret est réservé aux initiés.

135. Ou, ajoute Homère (*Iliade*, VI, 235 sq.), neuf bœufs contre cent : il s'agit du Troyen Glaucos, à qui Zeus a fait perdre la tête, et qui troque ses armes avec Diomède. Ce vers était passé en proverbe.

136. Proprement le *tribôn*, un vêtement d'étoffe grossière, comme en portaient les philosophes et les gens du peuple. Après Socrate, et surtout sous l'influence des Cyniques, ce fut l'uniforme de quiconque faisait ouvertement profession d'être un philosophe.

137. Depuis le début, il est impliqué que l'éloge de Socrate, imposé à Alcibiade, sera un réquisitoire. L'idée du procès a été indiquée déjà 215 *b* fin. Cette ambiguïté voulue (cf. 222 *a*) est manifestée par l'emploi, à 217 *e* et ici, du même mot : « superbe », là avec une signification vaguement laudative, ici dans un sens nettement péjoratif. Enfin, cette image d'un tribunal de buveurs, devant lequel comparaît le Philosophe, suggère l'évocation posthume, par Polycrate, du procès réel de Socrate, prétendu corrupteur de la jeunesse.

138. C'est au moins ce que disent de son bouclier, fait de sept peaux de bœuf, et Pindare, *VI*[e] *Isthmique*, 45, et Sophocle, *Ajax*, 576.

139. Potidée (sur l'isthme occidental de la Chalcidique) était une cité vassale d'Athènes. En 435, elle se révolta, et, après un siège de trois ans qui fut aussi cruel pour les assiégeants que pour les assiégés, elle capitula en 430-429.

140. C'est ce qu'Hélène dit d'Ulysse, *Odyssée*, IV, 242 ; la citation est légèrement modifiée au début.

141. Il s'agit du combat (432) à la suite duquel commença le siège de Potidée. Mais Thucydide ne parle pas des circonstances rapportées ici par Platon, et c'est probablement de notre passage que dérive le récit de Plutarque dans sa *Vie d'Alcibiade*.

142. Défaite des Athéniens par les Thébains (424). Dèlion est en Béotie, aux confins de l'Attique.

143. Socrate est un *hoplite*, un soldat de l'infanterie lourde, plus embarrassé, par conséquent, pour se sauver que ne l'est un cavalier.

144. Cf. *Lachès*, 181 *ab*.

145. *Nuées*, 362. Le sens du vers n'est pas très bien déterminé : le portrait est, semble-t-il, d'un homme qui a un buste proéminent sur de longues jambes grêles, et dont les yeux, peu mobiles, regardent à droite et à gauche simultanément ; ce qui correspondrait au « regard de taureau » dont il est question dans le *Phédon*, 117 *b* ; cf. aussi *Théétète*, 143 *e*.

146. Le fameux général spartiate de la première période de la guerre du Péloponnèse, mort à Amphipolis, après son succès (422). D'après l'*Apologie*, 28 *e*, l'expédition d'Amphipolis est la troisième des expéditions militaires auxquelles Socrate ait participé.

147. Deux beaux parleurs de l'*Iliade*, le premier dans le camp des Grecs, le second dans celui des Troyens.

148. Alcibiade emploie le mot qui désigne les figurines de dieux, placées à l'intérieur des boîtes en forme de Silènes.

149. Charmide, qui fut un des Trente Tyrans, est l'oncle maternel de Platon (cf. le dialogue qui porte son nom). L'Euthydème dont il est question ici n'est pas, bien entendu, le Sophiste (cf. *Euthydème*), mais vraisemblablement le jeune aristocrate mis en scène par Xénophon dans le IVe livre de ses *Mémorables*, chap. II et VI.

150. Proverbe très souvent cité sous des formes un peu différentes. Notre proverbe « Chat échaudé craint l'eau froide » ajoute au proverbe grec cette idée qu'on redoute même la fausse apparence de ce dont on a souffert.

151. Intraduisible jeu de mots, sur *dialabeïn*, « séparer », et, plus haut, *diaballeïn*, « brouiller ».

152. Il y a là, probablement, un rappel du terme qui a servi tant de fois à caractériser Amour, fils d'Expédient. Au reste, tout le portrait de Socrate par Alcibiade est une transcription symbolique de celui d'Amour par Diotime.

153. Socrate fréquentait ce gymnase, ainsi nommé parce qu'il était dédié à Apollon Lycien.

DU MÊME AUTEUR

Aux Éditions Gallimard

Traductions de Platon déjà parues :

LE BANQUET OU DE L'AMOUR.

APOLOGIE DE SOCRATE. CRITON. PHÉDON.

DIALOGUES SOCRATIQUES. ALCIBIADE. CHARMIDE. LACHÈS. EUTYPHRON. MÉNON.

PROTAGORAS OU LES SOPHISTES. GORGIAS OU SUR LA RHÉTORIQUE.

ION, MÉNEXÈNE, EUTHYDÈME, CRATYLE.

LA RÉPUBLIQUE.

Bibliothèque de la Pléiade

ŒUVRES COMPLÈTES, I, II.

LA PHILOSOPHIE EN FOLIO ESSAIS

(extrait du catalogue)

ALAIN
Éléments de philosophie (n° 150)
Mars ou la guerre jugée suivi de *De quelques-unes des causes réelles de la guerre entre nations civilisées (n° 262)*
Propos sur le bonheur (n° 21)
Propos sur les pouvoirs (n° 1)

ARISTOTE
Histoire des animaux (n° 241)

ARON, Raymond
Démocratie et totalitarisme (n° 69)
Marxismes imaginaires (n° 319)

BACHELARD, Gaston
La psychanalyse du feu (n° 25)

CAMUS, Albert
Actuelles. Écrits politiques (n° 305)
L'envers et l'endroit (n° 41)
L'homme révolté (n° 15)
Le mythe de Sisyphe (n° 11)

CHÂTELET, François
Platon (n° 115)

Collectif sous la direction de Jean-Paul DUMONT
Les écoles présocratiques (n° 152)

Collectif sous la direction de Denis KAMBOUCHNER
Notions de philosophie I, II et III *(n°s 277, 278 et 279)*

Collectif sous la direction de Raymond KLIBANSKY et David PEARS
La philosophie en Europe (n° 218)

CONSTANT, Benjamin
Écrits politiques (n° 307)

CORBIN, Henry
Histoire de la philosophie islamique (n° 39)

DESANTI, Jean Toussaint
Introduction à la phénoménologie (n° 251)

DESCARTES, René
Discours de la méthode suivi de *La Dioptrique (n° 158)*

ENGEL, Pascal
Philosophie et psychologie (nº 283)

FREUD, Sigmund
Le délire et les rêves dans la Gradiva *de W. Jensen (nº 181)*
L'homme Moïse et la religion monothéiste (nº 219)
L'inquiétante étrangeté et autres essais *(nº 93)*
Métapsychologie (nº 30)
Le mot d'esprit et sa relation à l'inconscient (nº 201)
Nouvelles conférences d'introduction à la psychanalyse (nº 126)
La question de l'analyse profane (nº 318)
Sigmund Freud présenté par lui-même (nº 54)
Sur le rêve (nº 12)
Trois essais sur la théorie sexuelle (nº 6)

HADOT, Pierre
Plotin ou la simplicité du regard (nº 302)
Qu'est-ce que la philosophie antique ? (nº 280)

HEGEL, G. W. F.
Leçons sur l'histoire de la philosophie I et II *(nºs 144 et 151)*
Morceaux choisis (nº 264)

HERSCH, Jeanne
L'étonnement philosophique. Une histoire de la philosophie (nº 216)

JIMENEZ, Marc
Qu'est-ce que l'esthétique ? (nº 303)

JUNG, Carl Gustav
Dialectique du Moi et de l'inconscient (nº 46)
Essai d'exploration de l'inconscient (nº 90)

KANT, Emmanuel
Critique de la faculté de juger suivi d'*Idée d'une histoire universelle au point de vue cosmopolitique* et de *Réponse à la question : Qu'est-ce que les lumières ? (nº 134)*
Critique de la raison pratique (nº 133)
Critique de la raison pure (nº 145)

KIERKEGAARD, Sören
Traité du désespoir (nº 94)
Le journal du séducteur (nº 124)

LÉVI-STRAUSS, Claude
Race et histoire (nº 58)

MAIRET, Gérard

Le principe de souveraineté. Histoires et fondements du pouvoir moderne (n° 299)

MALEBRANCHE, Nicolas

Conversations chrétiennes suivi de *Entretiens sur la métaphysique, sur la religion, et sur la mort (n° 260)*

MARX, Karl

Philosophie (n° 244)

MERLEAU-PONTY, Maurice

Éloge de la philosophie et autres essais *(n° 118)*

MILL, John Stuart

De la liberté (n° 142)

MONTESQUIEU

De l'Esprit des lois I et II *(n°s 275 et 276)*

NIETZSCHE, Friedrich

Ainsi parlait Zarathoustra (n° 8)
L'Antéchrist suivi de *Ecce Homo (n° 137)*
Aurore (n° 119)
Le cas Wagner suivi de *Nietzsche contre Wagner (n° 169)*
Considérations inactuelles I et II *(n° 191)*
Considérations inactuelles III et IV *(n° 206)*
Crépuscule des idoles ou Comment philosopher à coups de marteau (n° 88)
Le Gai Savoir (n° 17)
La Généalogie de la morale (n° 16)
Humain, trop humain I et II *(n°s 77 et 78)*
La Naissance de la tragédie suivi de *Fragments posthumes (septembre 1870-début 1871) (n° 32)*
Par-delà bien et mal (n° 70)
La philosophie à l'époque tragique des Grecs suivi de *Sur l'avenir de nos établissements d'enseignement*, de *Cinq préfaces à cinq livres qui n'ont pas été écrits* et de *Vérité et mensonge au sens extra-moral (n° 140)*

OMNÈS, Roland

Philosophie de la science contemporaine (n° 256)

PLATON

Apologie de Socrate. Criton. Phédon (n° 9)
Le Banquet ou De l'amour (n° 83)
La République (n° 228)
Les Lois (n° 308)

RODIS-LEWIS, Geneviève
Épicure et son école (n° 227)

ROSSET, Clément
Le réel et son double (n° 220)

ROUSSEAU, Jean-Jacques
Discours sur l'origine et les fondements de l'inégalité parmi les hommes (n° 18)
Discours sur les sciences et les arts (n° 304)
Du contrat social précédé de *Discours sur l'économie politique* et de *Du contrat social* (première version) et suivi de *Fragments politiques (n° 233)*
Émile ou De l'éducation (n° 281)
Essai sur l'origine des langues où il est parlé de la mélodie et de l'imitation musicale (n° 135)

SARTRE, Jean-Paul
L'existentialisme est un humanisme (n° 284)
L'imaginaire (n° 47)
Réflexions sur la question juive (n° 10)

SPINOZA, Baruch
L'Éthique (n° 235)
Traité de l'autorité politique (n° 240)
Traité de la réforme de l'entendement suivi de *Les principes de la philosophie de Descartes* et de *Pensées métaphysiques (n° 265)*
Traité des autorités théologique et politique (n° 242)

UNAMUNO, Miguel de
Le sentiment tragique de la vie (n° 306)

VERGELY, Bertrand
La souffrance (n° 311)

WEIL, Simone
L'enracinement (n° 141)
Réflexions sur les causes de la liberté et de l'oppression sociale (n° 316)

WITTGENSTEIN, Ludwig
Leçons et conversations sur l'esthétique, la psychologie et la croyance religieuse suivi de *Conférence sur l'Éthique (n° 190)*

Impression Brodard et Taupin
à La Flèche (Sarthe),
le 4 septembre 1998.
Dépôt légal : septembre 1998.
1er dépôt légal dans la collection : décembre 1987.
Numéro d'imprimeur : 6824U-5.

ISBN 2-07-032455-9 / Imprimé en France.

88513